未来科学Eアイランド

―無限循環エネルギー時代への「扉」―

清水美裕
YOSHIHIRO SHIMIZU

幻冬舎 MC

飛翔！

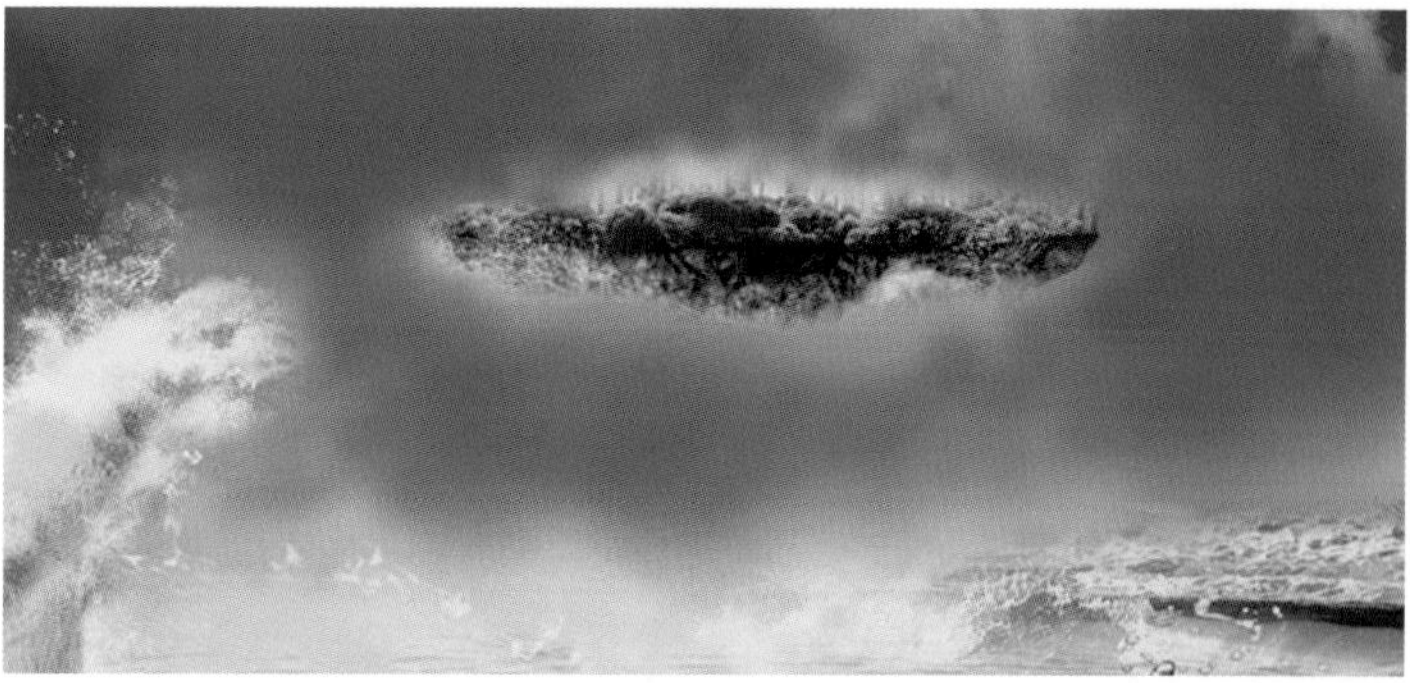

緊急上昇するEアイランド

６億トンもの建造物（島）を安全に上昇・下降させるには、地球重力の影響を「ほぼ」ではなく、「完全」に無効化する必要がある。そのカギを握るのが、地球の重力波（周波数）を瞬時に検出し、中央エネルギー階層の自励発電システムにフィードバックする《重力周波数・共振回路》だった。（７章）

地下の巨大な重力場機関が、昇竜の吠えるようなうなりを上げた。

島の人々を、地震の揺れとは異なる、衝撃が襲った。

「これは……？」「ジャークだ！」（10章）

宇宙進出基地

《重力機》島の航空ポートから発着し、標準型宇宙船として任務に当たるほか、世界各地の災害救助にも出動する。

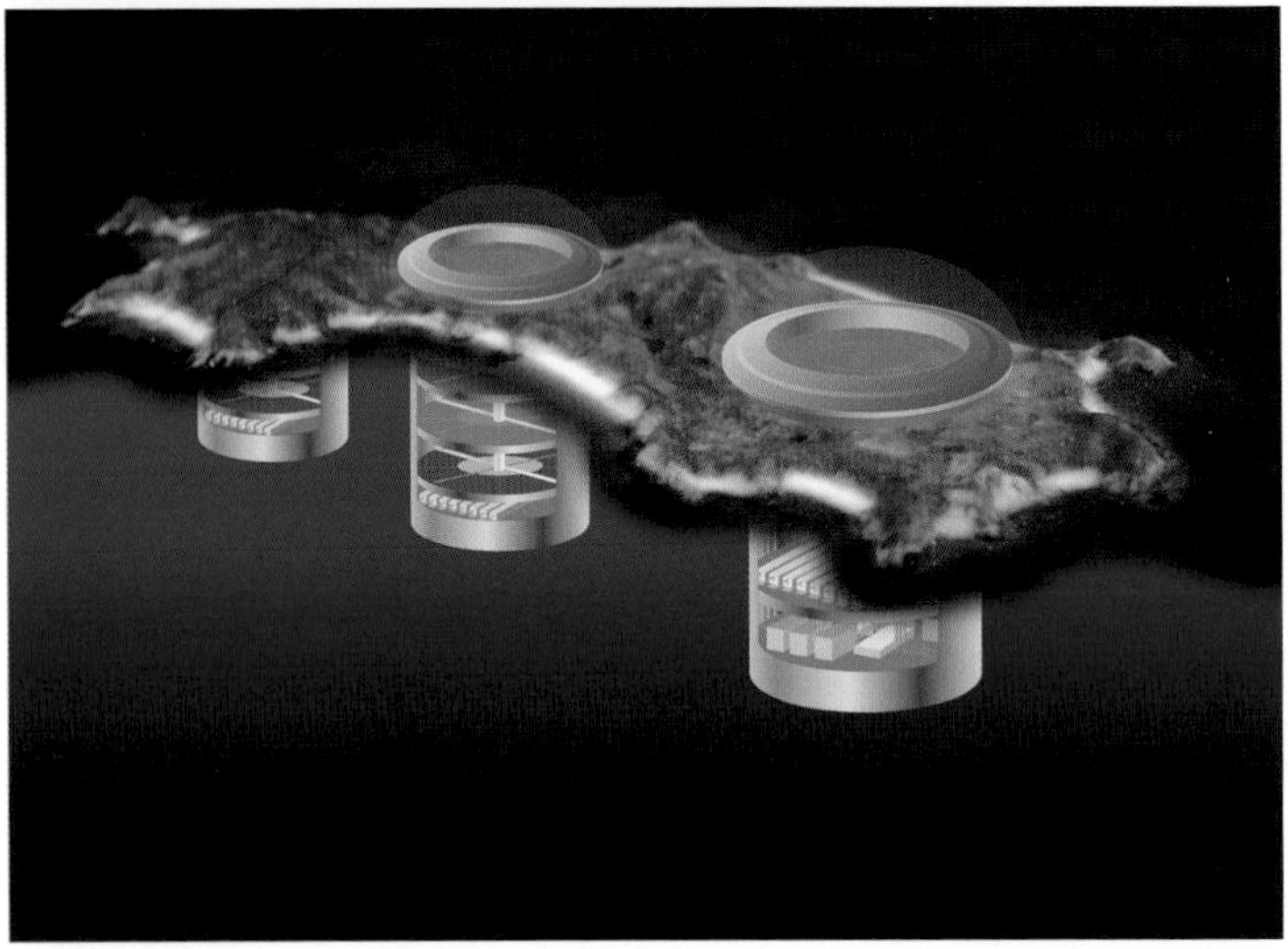

島の地下設備：独自の自励発電システムを擁する中央エネルギー階層が存在し、大規模災害に備えて島全体を地上から切り離す《緊急上昇システム》が構築されつつある。

未来技術の象徴：地上３万5000㎞に浮かぶ宇宙実験施設《EOS》で、半年ごとの搭乗クルーの交代時期が近づいている。

《電磁障壁》 前物質空間の周波数に変調を与えることで作り出される変調空間がバリアとして働き、巨大台風や隕石の落下などから島を守っている。

無限循環エネルギー

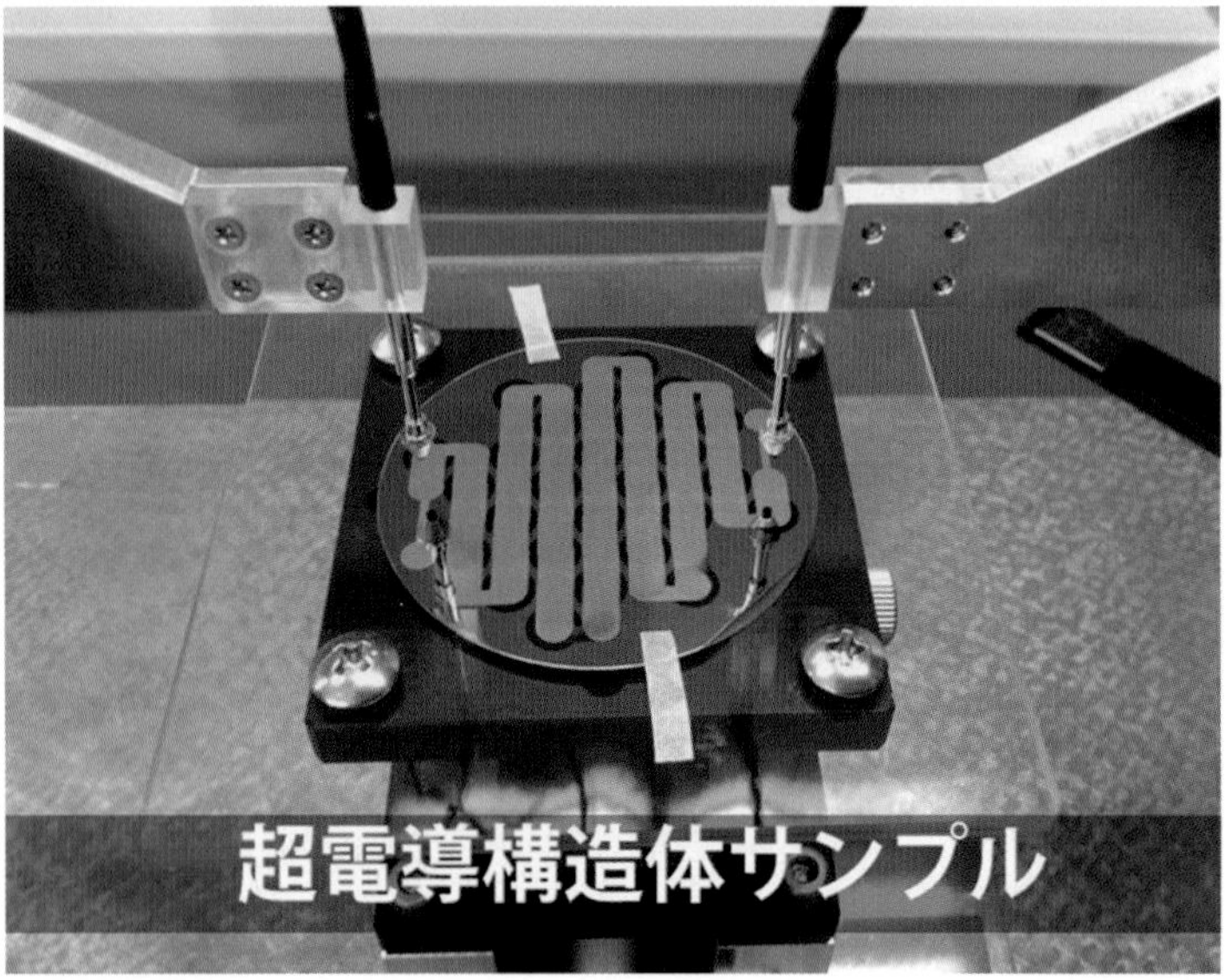

《超電導構造体》電気抵抗ほぼゼロを実現、電気を流すと加速を続ける電子の隙間に外部の熱・光エネルギーが引き込まれ、電流・電圧が増幅する。重力制御にも欠かせない未来技術の基幹部品。

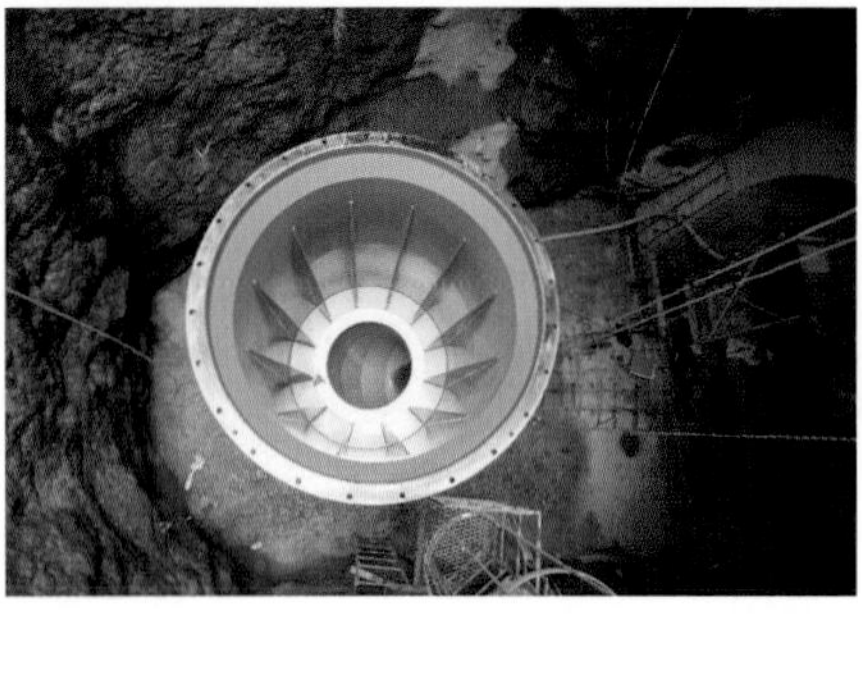

重力を遮断する壁：島の基底部には地上を離れるための《重力場発生装置》が広範に設置され、中核エネルギー施設から電源が引き込まれている。

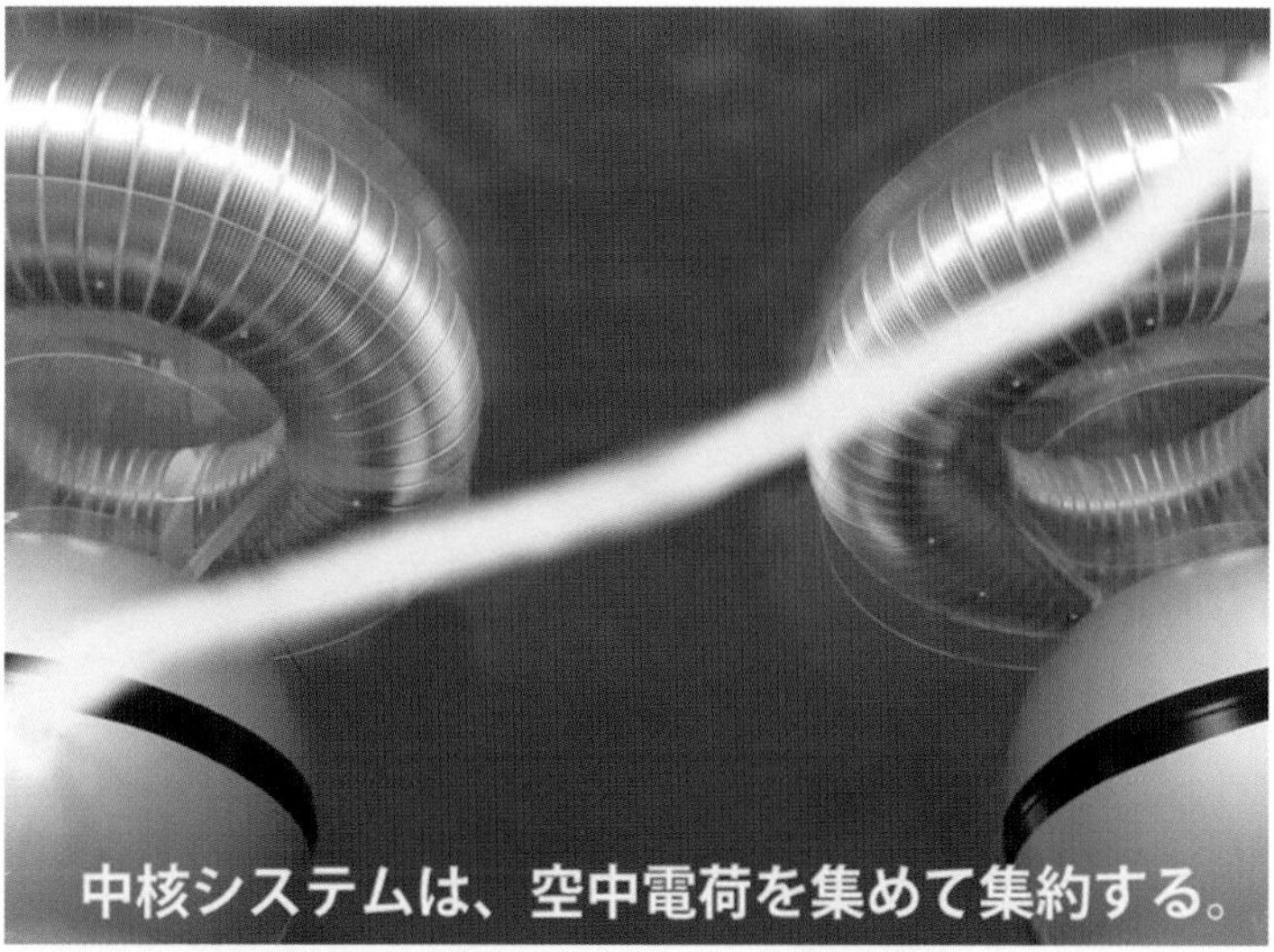

《中核エネルギー施設》大気中から分離した電子を集め、超電導回路に循環させることで大電力を生み出す。

島内に消耗なく電力を送るため、電力と情報を同時に無線送信する《クーロン輻射装置》（2016年公開実験）が活用されている。

2030年、強引な緊急上昇で地震を逃れた際には、地下施設が甚大な損傷を被り修復に５年を要した。

重力制御

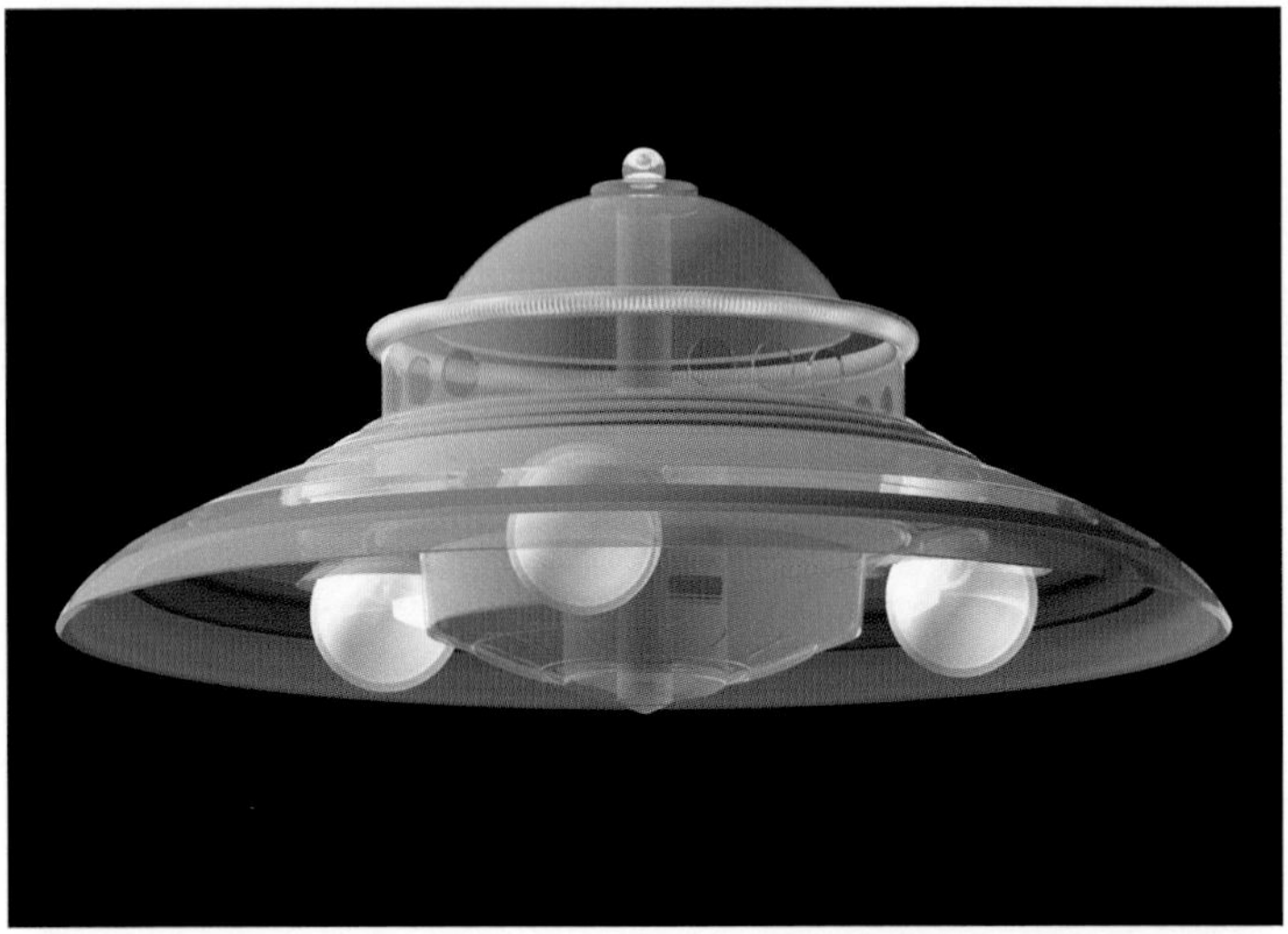

重力機の飛行原理：大電圧により機体周囲に人工重力場を発生させ、地球から「反発」されることで宇宙へ移動する。

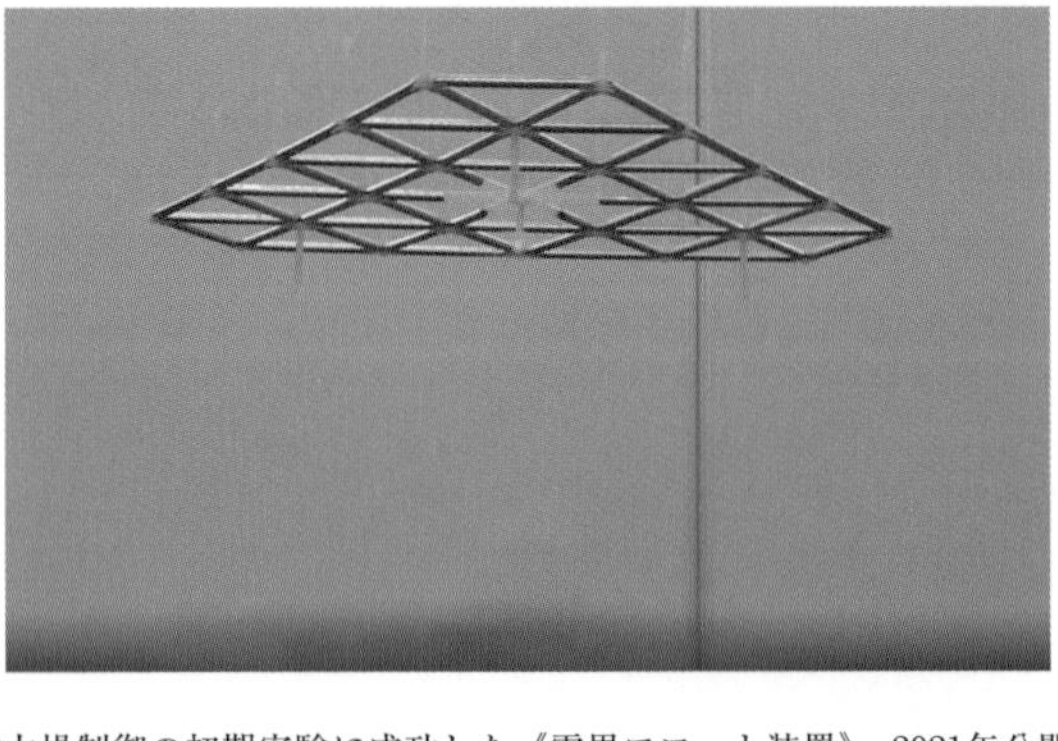

重力場制御の初期実験に成功した《電界フロート装置》、2021年公開。

重力制御を利用した島の公共移動手段《トラム》

島の子供は《空中ゴーカート》で重力制御を体験学習する

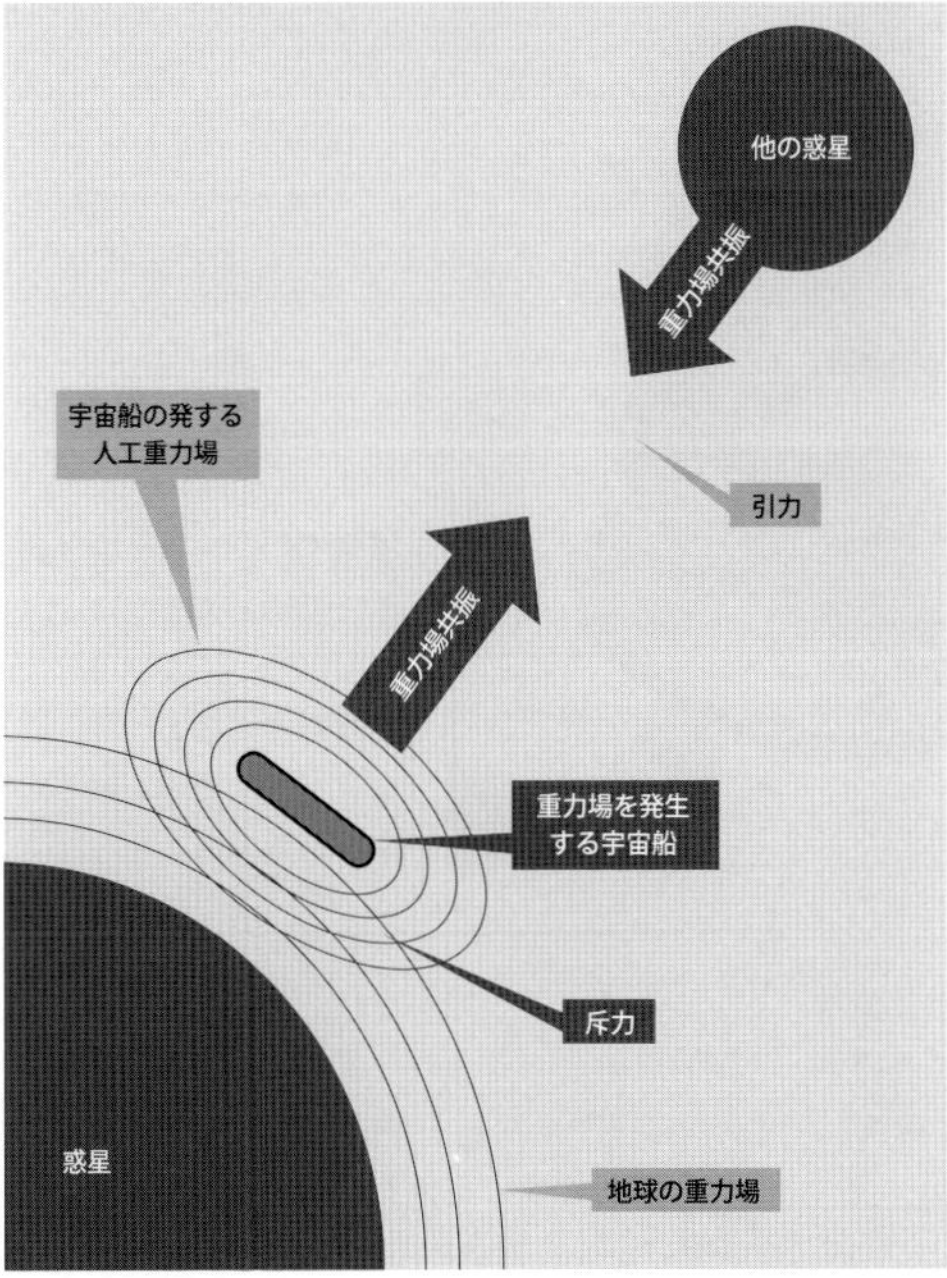

重力場共振による
宇宙航行技術の模式図

島の医療

植物製ミート：島の料理に動物の肉が使われることはない。レストランで提供されるカツやハンバーグも、素材はすべて植物由来だ。

Ｅアイランド近海で人工台風に遭遇したジャーナリスト三井茂は、島の海岸で瀕死の状態で発見され、救命処置を受ける。３週目に目覚めた彼は《光線医療》と《振動医療》を使うリハビリで順調に回復し、２週間ほどで走れるまでになる。（２章）
島では滅多に薬は処方されず、食べ物による消化速度の違いや、食品中の情報伝達物質《エクソソーム》に着目した食療法が医療の中心に置かれていた。（３章）

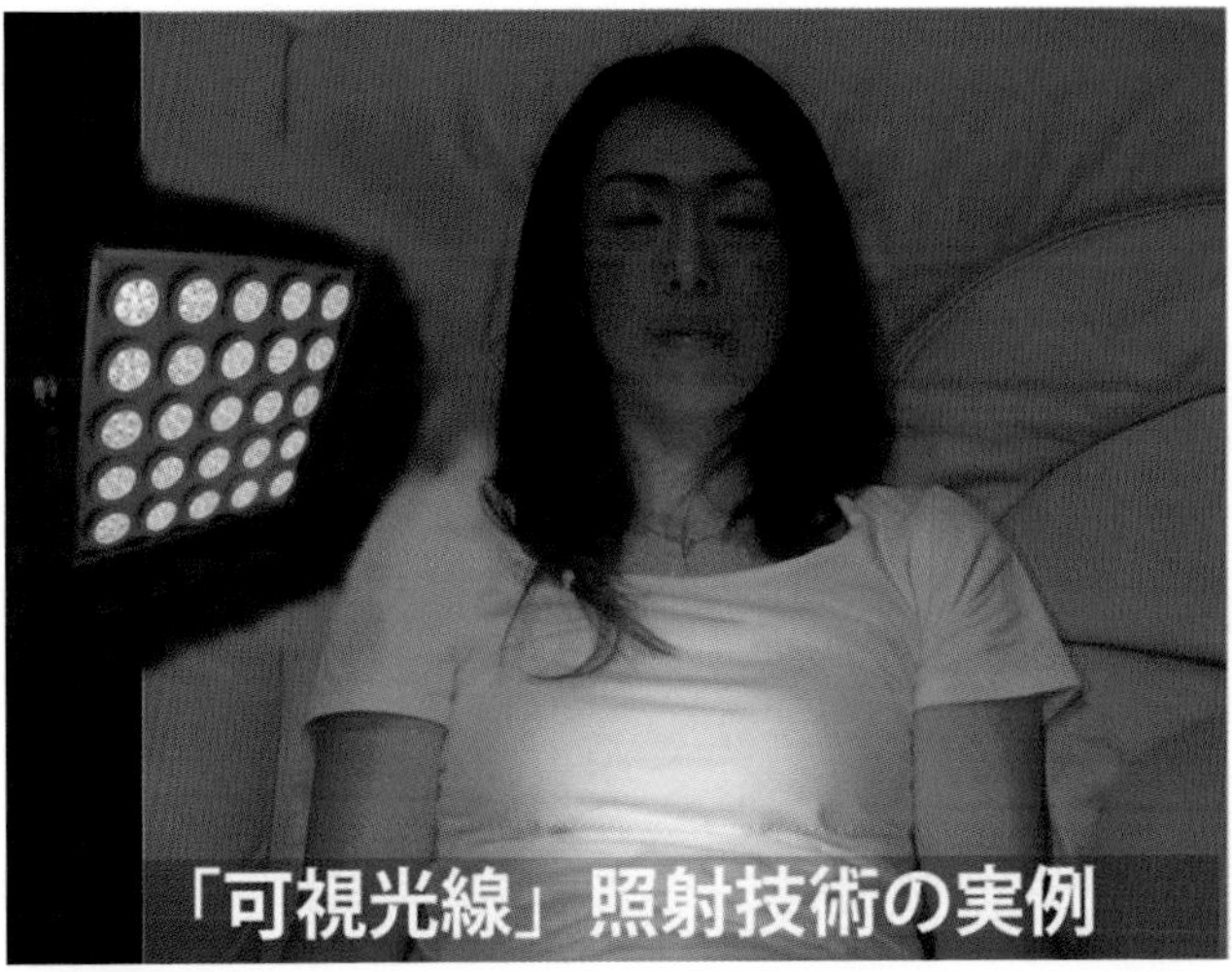

光線療法：細胞内酵素を活性化する光成分（660ナノメートル赤外線）を照射する《ブレスライト》で、損傷した身体組織の修復を図る。

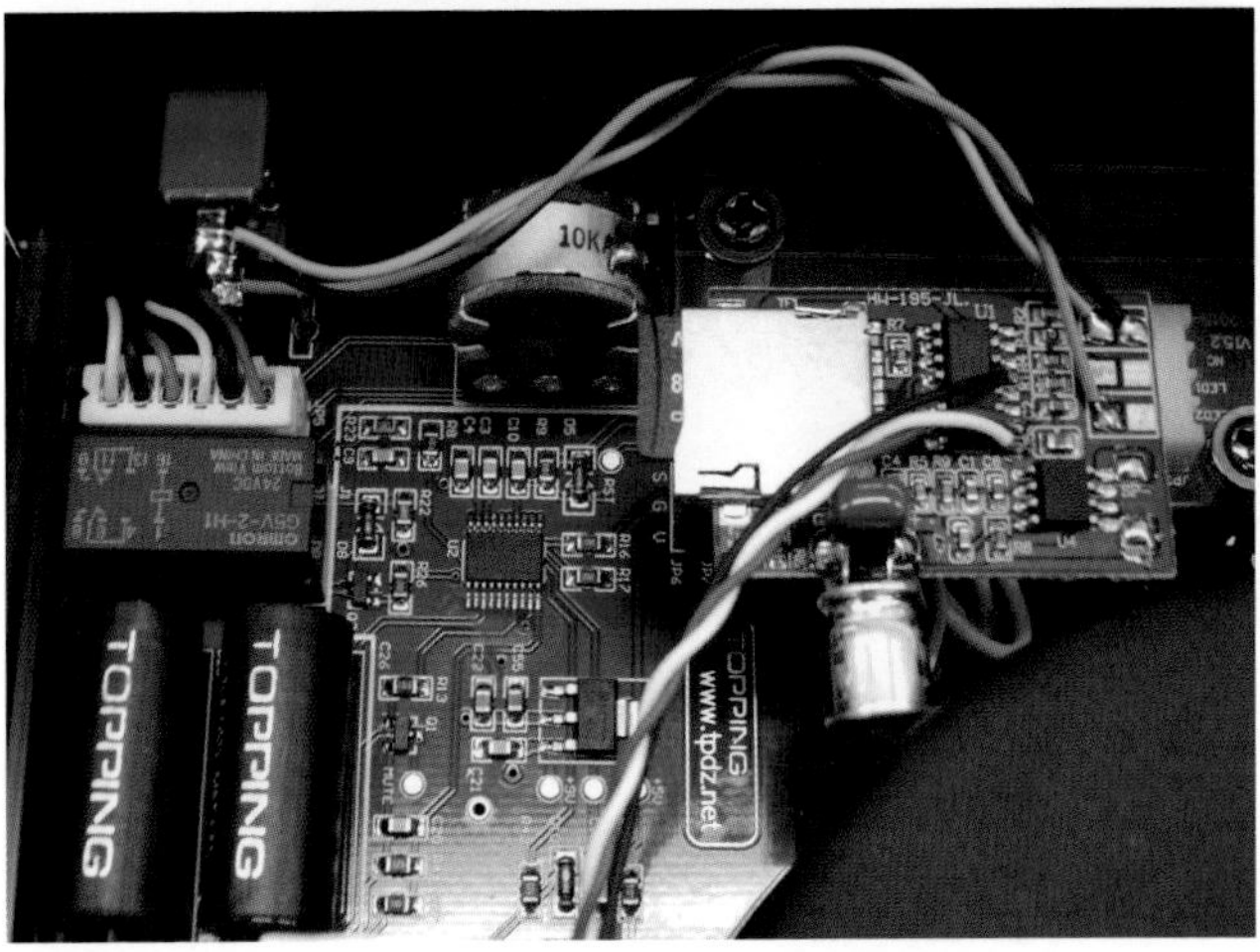

振動療法：特定の周波数の振動を与え、神経や細胞膜を修復するたんぱく質の合成を促す《ガンマリズム》装置の基本回路（2020年公開）。

巨大魚

魹は、実験室の金魚が30センチ以上になることを発見、共同研究者を求めて島にやってきた。

大ガツオ：魹が誤って養殖槽から逃がしてしまった大ガツオは、高知県沖から北上を続け、現在、三陸沖を遊弋している。

出典：株式会社科学技術研究所 WEB魚図鑑

三井が謎を追った「巨大魚」は、研究者・大和魹と島のメンバーが、近未来のために開発している養殖魚の一匹だった。現生生物は、遺伝情報の共存調整を図って種の多様化に適応し、小型化している可能性がある。巨大魚の大きさは、彼らの遺伝子に保存されている「本来のサイズ」なのかもしれない。

シーフードレストラン

島には「夢」を共有する各分野の一流料理人も集い、腕を振るっている。

香ばしく焼いた白身魚に、皮に見立てた野菜を被せ、その上から「シェフ」自慢の野菜を煮込んだ特製ソースがかけてあった。素材は、半身で40センチ弱もある大きなルジェ。イトヨリに似た魚だが、通常はイトヨリより小型の魚だ。この大きさが、島の「養殖魚」の証拠だった。（8章）

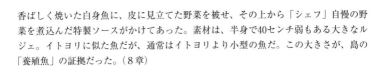

ウイルスとエクソソーム

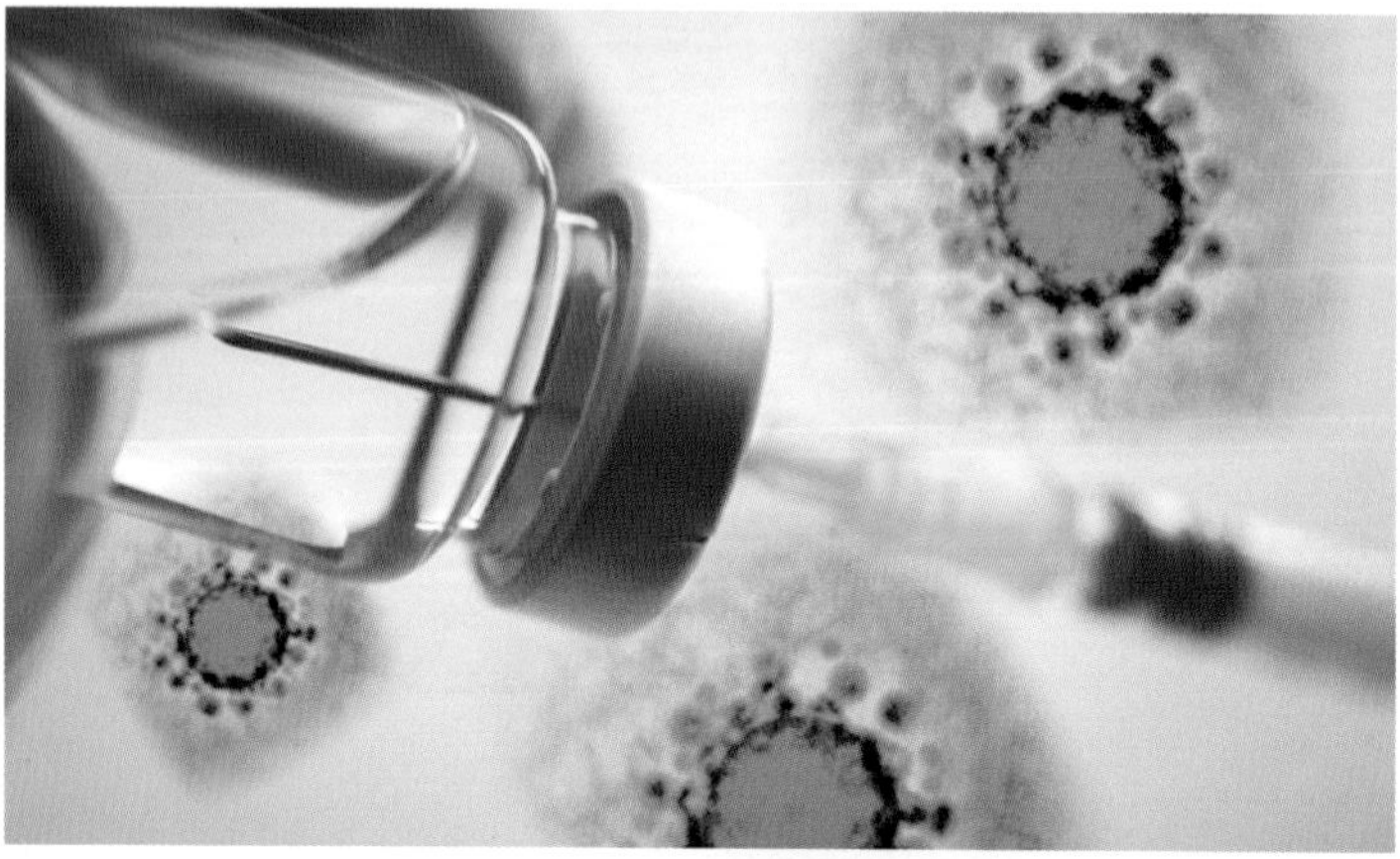

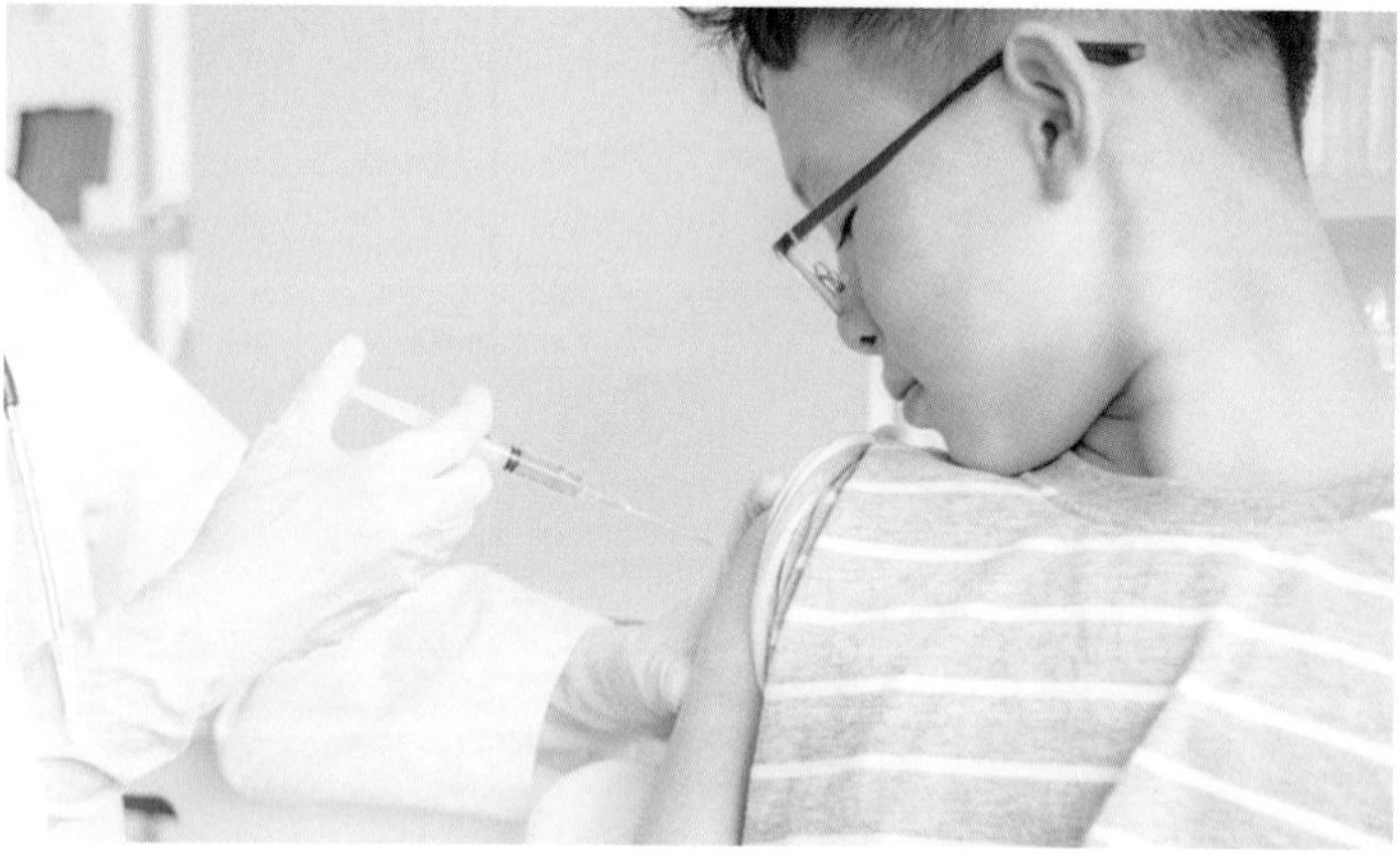

ウイルスワクチン

2020年代、世界中の人々が殺到したウイルスワクチンは、十分な安全性が保証されないまま配布され、接種後の責任は国家が負うという異例なものだった。2045年、増加する自己免疫疾患と、20年以上前に世界中で接種されたマイクロRNA製剤の関係を疑う河合恭子は、研究の助手として宗像アマネを島に呼び寄せていた。

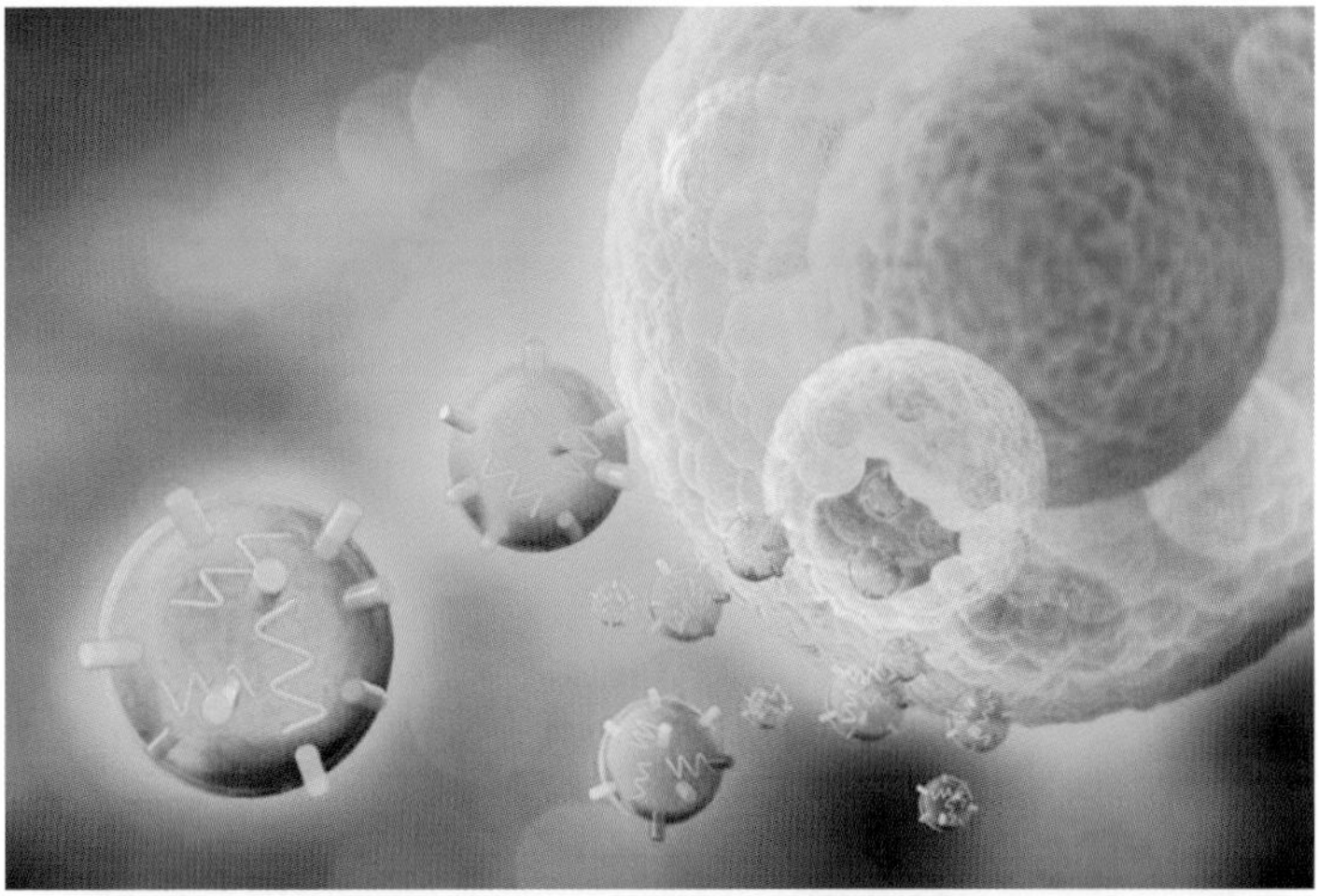

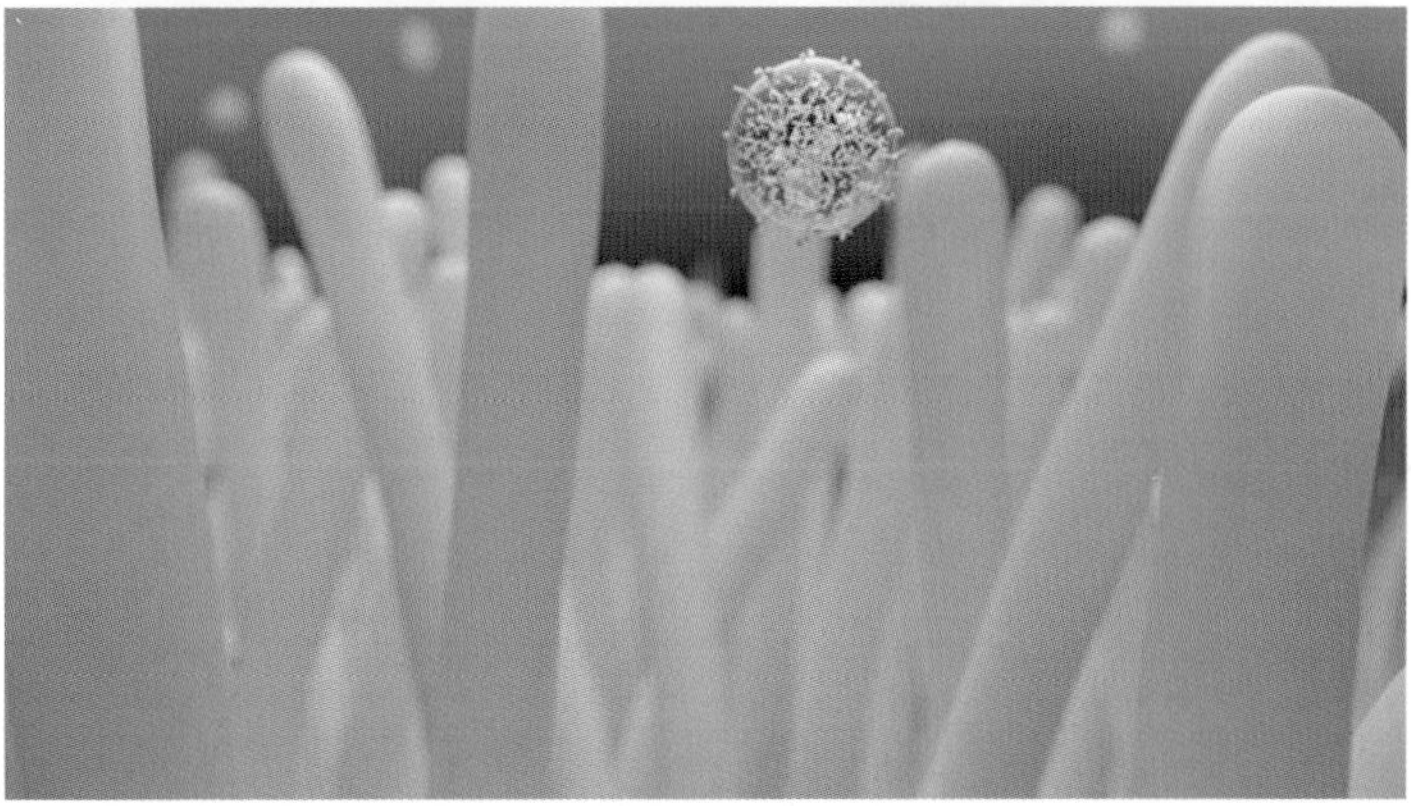

エクソソーム

「ただ栄養素だけ摂っても不十分なの。しっかり栄養として役立てるには、食品に含まれている《情報》も一緒に摂る必要があるのよ」「情報？」「エクソソームは、食行動を介して、生き物から生き物へと受け渡される情報物質なの」（３章）

体内で「情報伝達物質」として働いているエクソソームは、DNAが破損し身体が危機に陥ると、壊れたDNAやRNAの一部を排泄してバランスを取ろうとしているようだ。その排泄物こそ、現在「ウイルス」と呼ばれているモノの正体なのかもしれない。

地殻変動

陸地を広げる西之島

2013年、西之島の活動が活発化し、新たな陸地の形成を開始。翌年には日本から8000キロ離れたトンガ沖にも新島が出現した。噴出している溶岩がともに安山岩であることは、環太平洋海底火山帯の活動が地殻を薄くし、マグマが表層の岩盤を溶け出させていることを示唆している。

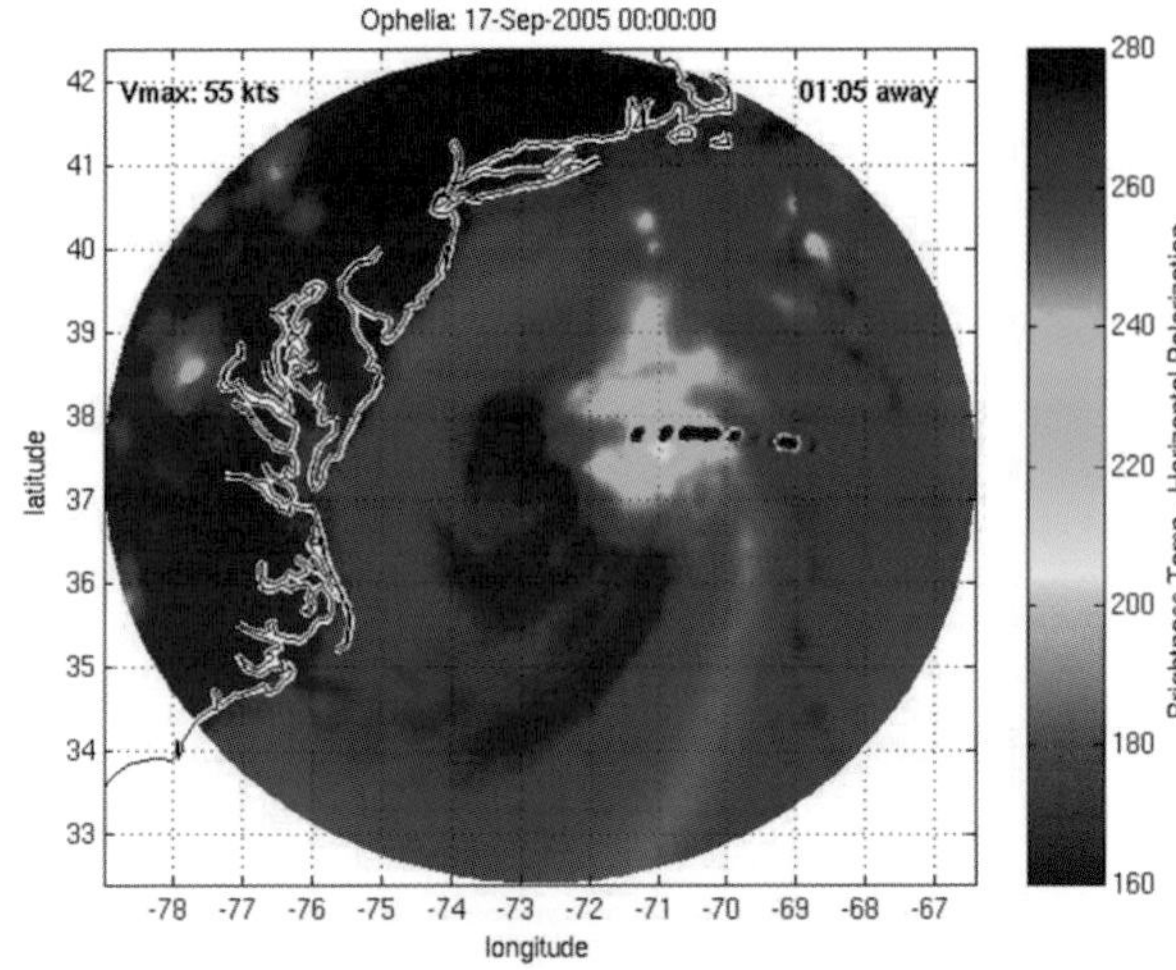

地震予知：地震の震源地や規模は、宇宙から地上電位の変化を観測していれば予知できる。EOSの予測によれば、島の南方300キロの海底で３カ月以内に巨大地震が発生する。

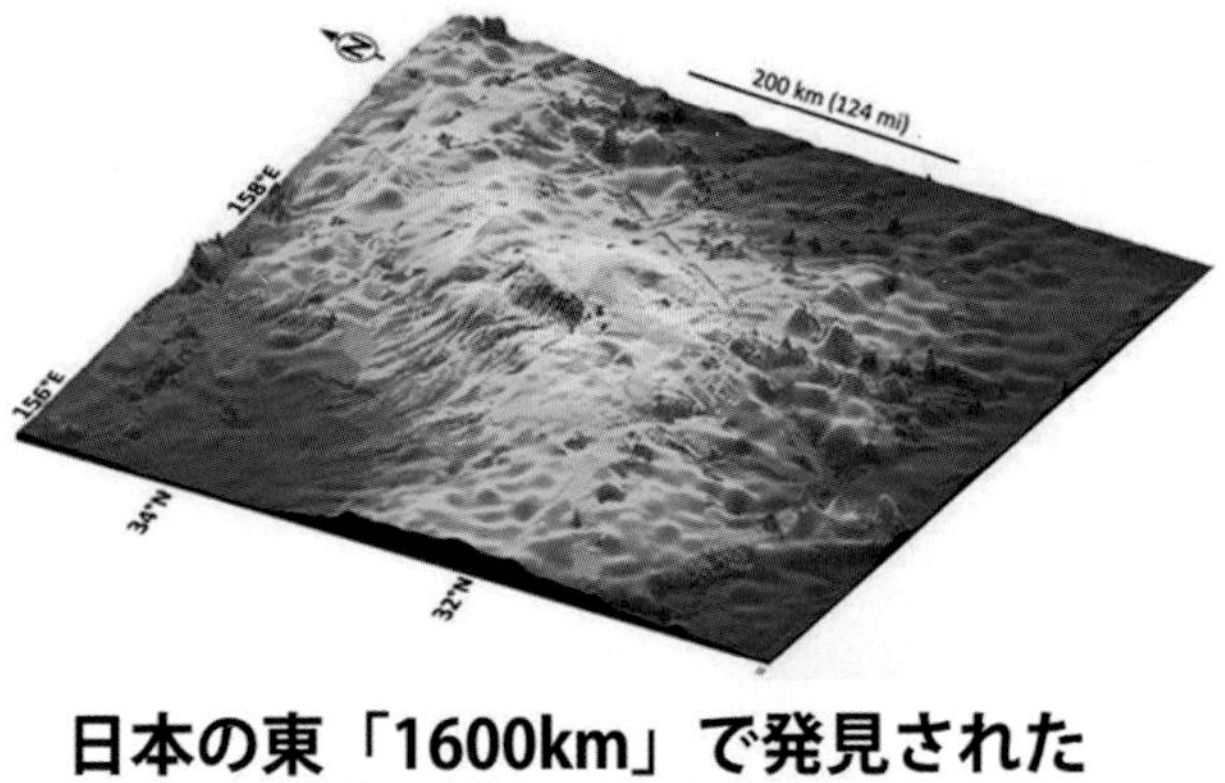

日本の東「1600km」で発見された「太陽系内最大の海底火山」

海底火山：2013年、米国の研究チームが日本の東方1600キロ沖に海底火山を発見した。その規模は「太陽系内最大級」と発表されていた。

宇宙

――君の活躍と、幸せを願う……

その日、大和那由多の宇宙機に、三井茂と、案内役としてのアマネの姿があった。
宇宙空間に出ると、地上にいるときより想いが伝わりやすくなる。
無言で窓外を眺めるうちに、アマネは那由多の声を聴いた気がした。（９章）

未来科学　Ｅアイランド

――無限循環エネルギー時代への「扉」――

はじめに

人間には「無限の世界」や「無限の可能性」に想像を巡らせる自由があり、またその能力があります。

数学や物理学など、自然科学が対象とするのも無限の世界ですし、私たち自身も、際限なく広がり、無限に運動を続けている宇宙の中に生きています。

無限の世界を信じ、真摯《しんし》に探究することは、人類の「未来」を拓《ひら》くうえで必要不可欠なものです。

ところが、子供時代や学生時代に「無限の可能性」を信じていた人も、多くは、大人になると分別を身につけていきます。そして、無限の発想から遠ざかってしまうのです。「自分なんて」「人間なんて」とわきまえる分別は、何か正しい処世術のようにも思えますが、一方では自分たちを「有限の世界」に押し込める発想につながります。

そういう分別のある「大人」がどのような世界をつくるか——それがいかに窮屈な世の中であるかは、私たちが顔を上げさえすれば、そこにすぐ目に入ります。

例えば、コロナウイルス騒ぎの中の無意味な自粛ムード。飲食店を閉じさせたり、オリンピックの規模を縮小しようとしています。

あるいは、今をときめくＳＤＧｓ（持続可能な開発目標）。限りある資源を守り、平等に活用しながら、公正な経済や地域社会を発展させようとしています。

ほとんどの大人は、そうしたいわゆる「正論」に、反論しないどころか疑問を抱くことさえしません。

しかし、少し調べ、自分の頭で考えれば、コロナが風邪《かぜ》の一種に過ぎないことはすぐわかります。また、ＳＤＧｓの発想は、自分たちが「有限の世界」に住んでいると思い込んで萎縮《いしゅく》する、縮みの発想であることも簡単にわかりそうなものです。

世の大人たちは、あまり深く考えることなく、そうした「有限の発想」を唯々諾々《いいだくだく》と受け入れていますが、その「有限性」は絶対的な真理、真実なのでしょうか。

私は、ＳＤＧｓやサスティナビリティの考え方に強く異論を唱えるものではありません。しかし、本当に豊かで、公正で、誰もが（特に子供たちが）幸福になれる「未来」を創るには、もっと大きな夢のある、エネルギッシュな発想が求められると考えています。

すなわち、今の技術に限界があるなら、それを凌駕《りょうが》する本格的なイノベーションに力を注がなければならないと思うのです。

例えば、太陽電池も含めた既存の技術の範囲で考えたら、仮にSDGsを人類が達成したとしても、経済・社会活動を縮小させ、文明の進歩を停滞させる結果になりかねません。

本当に必要なのは、既存の、有限の世界の中でやりくりすることではなく、これまでになかった、より有用な技術を開発し、実用化することのはずです。

現に、人類に明るい未来をもたらす「エネルギー革命」の基礎技術はすでにあります。

それは、化石燃料に頼るものではなく、地球のどこにでもある大気中の水蒸気や、分子、重力などから無尽蔵《むじんぞう》にエネルギーを取り出す、自然にフィットしたテクノロジーです。

自然界の微細《びさい》かつ膨大《ぼうだい》なエネルギーを人類がこれまで利用してこなかったのは、単純に、そのエネルギーを効率よく取り出す技術がなかったからにすぎません。

私は、既存の技術体系にとらわれず、分子運動から電気を得る「分子電池《ぶんしでんち》」や、電気抵抗をゼロにする「常温超電導素子《じょうおんちょうでんどうそし》」などの基礎技術開発に力を注いできました。

そして、それらの技術はすでに確立し、応用と実用化への道をたどりつつあります。夢のエネルギー革命は、遠い未来の空想物語ではないのです。

私は、既刊の『未来科学2050』で無限循環《むげんじゅんかん》エネルギー社会への道程を示し、『未来科学2070』では、未来社会で重きを増すサイバー空間への注目と、それに伴《ともな》うインテリジェンスの重要性を訴えました。本作では、前2作と同様、SF的な手法も取り入れながら、無限循環エネルギー社会のイメージを具体的に描きました。

人類には、従来の価値観のまま「有限の世界」を歩むことも、新たな「無限の世界」への扉を開くことも、どちらも許されています。本書を手に取ってくださった皆さんに、勇気と無限の発想を持って、生き生きと未来への夢を描いていただけたら幸いです。

2章

邂逅——スクープのチャンス？

3章

微小物質——エクソソーム

序章

分断――2045年のジャーナリスト

巨大魚――

《ユーア～、エーヴゥリイシ～ング～、ユーア～、エーヴゥリイーシ～ング～、あなたと、離れてる場所でもぉ～！》

やけくそ気味な男の唄声《うたごえ》が、大空に吸い込まれていく。

2045年も夏の盛りを過ぎようとする頃――。

日本の領海の太平洋上に、白い点のような舟影があった。

波に漂い、紺碧《こんぺき》の海面に見え隠れしているのは、一艘《そう》のプレジャーボートだ。

燃料切れを起こして漂流しているらしい。

唄は、その舟の上から聞こえていた。

歌っているのは、中年男だ。

顔をタオルで覆《おお》って、キャビンの後方にある狭い甲板に寝そべっていた。

「畜生め、差別をやめろ〜、自由を奪うな〜！」

男は顔のタオルをむしり取り、宙に向かって叫ぶと、

《すれぇ違ぁ〜う、時のな〜かでぇ〜！……》

同じ歌を、調子の外れた声で歌い出した。


彼の名は三井茂《みついしげる》。フリージャーナリストだ。彼は、西日本の沿岸にたびたび出没している「巨大魚」の謎を追って取材に向かう途中だった。

この夏、巨大な魚の目撃談が一部のメディアを賑《にぎ》わせ、噂《うわさ》好きな人々の関心を集めていた。第一報は、大衆夕刊紙の『みやこスポーツ』だった。

その記事は、「四国の漁師の網にかかった化け物のような魚が、網を破って逃げた。大きさは5メートル以上もあった」と報じていた。

そのニュースをチェックしたとき、三井は「また大げさに話を盛りやがって……」と本気にしなかった。

三井も多少は釣りをする。魚もある程度知っている。近海でかかるのは1メートルもあれば大物だ。

「本当に5メートルもあるなら、そりゃクジラだよ」

ところが、巨大魚のニュースは、ほかのメディアでも報じられ始め、ついにピンボケ映像ま

で出始めたのだ。

みやスポの「5メートル」は案の上、大げさだった。だが、映像を見た三井の目にも、それは、優に2メートルを超えるマガツオに見えた。

専門家は「断言はできないが、新種の可能性もあるのでは……」と分析していた。

三井は「こいつは、俺のヤマだぞ！」と身震いした。

「新種、大いにけっこう。2メートルのカツオ様々だ！」


フリージャーナリスト・三井茂の主な仕事は、芸能・娯楽記事を書くことだ。

彼は、大学在学中から、雑誌の編集部のアルバイトで、自分で記事を書いていた。

講義には出なかったので留年したが、生来、根拠のない自信にあふれている彼は、前途を悲観することはなかった。

ところが、卒業後にバイトを続けた出版社が倒産し、職を失った。紙媒体に頼っていた旧来メディアが、バタバタと消えていく時代だった。

雑誌の仕事にありつけなくなった三井は、しばらくほかの仕事のバイトで食いつないでいたが、ようやく新興のデジタル誌に投稿した記事が採用されるようになった。

それが、彼のフリージャーナリストとしてのキャリアの始まりだ。

「いつか、必ずデカイヤマを当てる！」

そう思い続けてきた三井のアンテナが、この巨大魚には、痺《しび》れるほど強く反応した。

「大ガツオ君は1匹ではないぞ」と三井は想像した。

以前に、巨ガニを取材したことがある。それは、ある企業が薬剤で奇形にしたものだった。

もしもカツオの巨大化が、同様の人為的操作によるものだとしたら、

「絶対に、バケもんは1匹じゃない！」

「このヤマは、何かと臭すぎるぜ！」

三井は高揚し、さっそく単身、西を目指した。

防疫安全維持条例

陸路で西を目指した三井が、なぜ今ボートに乗って海の上にいるのか。

思わぬ障害が彼の行く手を阻《はば》んでいた。

三井は当初、新幹線で下関《しものせき》辺りまで行こうと考えていたのだ。そこで、美味《うま》い物でも食いながら、取材の足掛かりをつかむつもりだったようだ。

だが、近畿圏のある駅で、いきなり作業服姿の一団が新幹線に乗り込んできた。

連中は、順番に乗客に、何か尋ねていた。

(何だ、あいつら？　鉄道公安じゃねえな！)

彼らが来たとき、三井は不機嫌に応じた。

「何かあったのかよ？」

「K市の職員です。K市防疫《ぼうえき》条例によってお客様の目的地と、ワクチンの接種状況を伺っています」と若い男が言う。

「K市防疫条例？　検疫かよ、何のだよ？　まさか、コロナウイルスかぁ？」

笑いをこらえ、三井は馬鹿にして言った。


20年以上も前、「ウイルスパンデミック」というニュースが世界を覆ったことがある。その際、マスメディアを通して世界中に「感染症のイメージ」が広がり、恐怖に人々を陥《おとしい》れた。メインストリームメディアがこれでもかと続けた報道は、その情報に従わない人々を異端者のように扱った。

世界中の人々の大半が予防ワクチンの接種に殺到し、ワクチン調達で後手に回った国は、国民の不信感によって政権が移ってしまう事態まで起こったものだった。

その際に世界が求めたウイルスワクチンは、十分な安全性の確認は国民に保証されず、接種後の責任は配布した国家が負うという、あまりにも異例なものだった。

三井は、当時も今もウイルスワクチン接種に懐疑的で、当時はさかんに「接種反対」の記事を書いた（ほとんどはメディアの自主検閲でボツになったが）。

幸い２０４５年の今では、国が「ワクチン接種」を強要したり、「ワクチンパスポート」の必要性を当時ほど大々的に広報することもなくなっていた。

だが、一方で、未だに主流メディア情報を信じる人々は、今なお「感染症対策」や「予防ワクチンの接種」を必須と考え、全国民の接種義務を主張していた。

最近では、「ワクチン推進派」が優勢な一部の自治体で、条例を制定し独自の防疫態勢を敷く動きが、住民の支持を得るまでになっていた。

図らずも、「ウイルスパンデミック」の後、わが国では、臨時閣議で、地方の自治権の拡大が試行されていた。


（ちっ……、この先のK市の議会は、ワクチン推進派だったたな…）

舌打ちする三井に、職員が尋ねる。

「新型ライノウイルスのワクチン接種証は、お持ちですか？」

「持ってるわけないだろ！」

「でしたらK市への入域はできません」

三井は、他人にどうこう言われるのが嫌いだった。だが、ここでカッとなったのはまずかった。

「俺の勝手だろうが！」

怒鳴り声を上げた三井と若い職員のところに、同市の警察らしい制服の男がやってきた。

「失礼ですが、三井茂さんですね？」

「ああ、それがどうした？」

「あなたは、同市の指定要注意人物です。申し訳ありませんが仮に取材目的でも同市に立ち入ることは、許可できません」

「そんな横暴、通るわけないだろう！」

今まで取材拒否はあった。だが、さすがに入域拒否など経験がなかった。

「あんたらは好きにしろ。俺も勝手にする」

「市内に入らないと約束してください。でなければ、ここで降りていただきます！」

制服の男が三井に言った。

にらみ返した三井だったが、ほとほと嫌気が差し、

「ああ、わかったよ。引き返すよ、それでいいな。じゃあな！」

そう吐き捨てて電車を降りた。

引き返すと見せかけて、後続の便に乗り換えるつもりだった。

だが、電車を降り、頃合いを計って駅に戻ると、もはや改札機は、三井の再入場を受け付けなくなっていた。

「ふざけやがって……、カルト集団がぁ？」

三井は、港でプレジャーボートを調達すると、海岸線沿いに西へ海路で行くことにした。

かつて取材のために、２級小型船舶免許を取っていたことが幸いした。

「ふん。俺は運がいい」

２０４５年、８月10日。

しばらくは海も、荒れそうになかった。

ボートを繰って沖に出ると、三井は大きな声を張り上げた。

「ばかやろう、おめえら狂ってるぞ～！」

「差別して面白いか～！　バカヤロ～！」

風――

ここまでが、三井が海に出たいきさつだ。

「うかつだった……」

ボートの燃料が切れてしまった。

「海を軽く見すぎたな……」

悪いことに、遭難《そうなん》信号用のイーパブの電池が、切れていることに今、気がついた。

「ダメ……かな……」

見渡す限りの大海原に、三井は圧倒されていた。

ちっぽけなボートから見ると、陸にいると感じない、恐怖心を肌で感じた。

「な～ぜ～めぐり逢うのかを～、私たちは、なにも、知ぃらない……」

不意に歌が口をついた。

心細さが、歌になって出たのだろうか。

「た～ての糸はあ～なた～　よ～この糸はわ～たし～……」

昔の家族を思い出した。

三井には、別れた妻と、妻との間に授かった一人娘がいた。

妻は、学生時代にバイトをしていた出版社の編集者だった。20代の勢いで結婚し、すぐに娘が生まれた。

だが出版社が倒産し、生活が苦しくなり、妻は程なく娘を連れて出て行った。

彼女は、自分のSNSから三井をブロックし、今は養育費の催促だけを、メールで事務的に送ってくる。

三井の稼ぎでは、仕送りに足りない月もあった。しかも、送金を忘れたこともあった。

だが、「その」娘が、2年ほど前に結婚したことを知った。

原稿料を前借りして、祝いのつもりで金を送った。

結婚式には呼ばれなかったし、三井も出るつもりはなかった。

この2045年には、日本でも欧米並みに「実子誘拐《じっしゆうかい》」の概念が広まり、離婚した夫婦の片親にだけ親権が偏《かたよ》ることは少なくなっている。だが、三井が妻と別れた頃には、母親の意向のみ尊重されるケースが多かった。

彼が娘を奪う気ならDVで訴えると、別れた妻は息巻いたものだ。むろん三井は家族に暴力など振るっていなかったが、そんな妻側の言い分も通りやすい時代だった。

娘と会うことは、おそらくこれからもないだろう。彼はそう思っていた。

だが、その娘が、三井に突然連絡をしてきた。

逢《あ》って訊《き》きたいことがあると……。

娘は、物心ついてから初めて会う父親に硬い表情で語った。

「私、結婚したんだ」

「ん？　そう…、なのか」

「彼、一人っ子で家族が欲しいって……」

「そうか……」

三井は家族という言葉に敏感だった。

「おまえなら、いいお母さんになれるよ。きっと……」

娘は下を向いていた。

「バカ……」

「ん？　なんだって？」

「バカって言ったんだよ」

三井は戸惑った。

「何を言っている」

「親ってさ、責任ないの？」

三井には何のことかわからなかった。

「どうしたんだ？　何があった」

娘の目から涙がこぼれた。

「できないんだよ、あたし……」

「？？」

「私、子供産めない身体《からだ》なんだって……」

三井の前で身体を震わせて小柄な娘が泣いていた。

「誰が言ったんだ、産めないなんて……」

「検査したんだ。何度も病院で……」

不妊症……まさか？

「卵子が卵巣内に、私、無いの……なんで？」

「おまえ、まさか……ワクチン後遺症なのか？」

娘は肩を震わせて小さくうなずいた。

若い女性への当時の対ウイルスワクチンの影響は、彼が結婚当初に製薬会社内部からリークした情報だった。娘は彼の記事を読んできたのだった。

「俺の昔の記事、調べたのか……」

「……誰も教えてくれないから……」

「ううむ……」と三井はうなり、

「俺が知っているのは、昔の情報だ……。ほかに原因があるかもしれん。決めつけるな！」

そう言った三井だが、ワクチンと無関係ではない、と彼は思っていた。

（あんなふうに言ったのは、他人だからか……？）

あの日、一人で帰って行った娘の背中を、今でも夢に見る。

『娘に逢いたい！』と彼は思った。

「こんなことで死んでたまるか！」

バッテリーを節約していた通信機の電源を入れ、三井は再度助けを求めた……。

……と、突然、風が出て、ボートが動き始めた。

陸のあった方角に徐々に押し戻され始めている。

「やったぞ！　俺は、運がある！　こりゃ助かるかもしれん」

楽天的なジャーナリストは、本気でそう思い始めていた。

1章

ライセンス――宇宙へ行く者たち

訓練機のトラブル

三井茂が「巨大魚」の真相を追っている頃――。

モニター画面の前で、緊張に張り詰めた人々がいた。

壁面の巨大モニターにはコックピットの中のような計器類が映っていた。そこは、民間の財団が運営する宇宙訓練基地の内部だった。彼らの胸の記章には、極めて特徴がある紋章が描かれていた。

今、基地があるその島で、「訓練生」に対し「小型宇宙機」を使った実機訓練が行われていた。訓練は、きわめて単純で基地の上空50キロまで、訓練生一人だけで垂直に機体を移動させ、そのままの位置で「5分間」静止し、発着地点へ戻ってくるというものだった。訓練に使用される機体は彼らが「重力機《じゅうりょくき》」と呼ぶ小型宇宙機だった。

ある訓練生が乗った「重力機」が、上空に上がった直後の出来事だった。

上昇を開始した直後、機体が突然コントロールを失い、コースを大きく外れ、制御不能に陥《おち》ってしまったのだ。

「1号機、応答しろ。バーティカルレベル・モニターのゲージが確認できるか？」

『ゲージ、マイナス〝2〟でサチレイト、安定しません』

「共振周波数《きょうしんしゅうはすう》をチェック。RL周波数〝20〟で同期《どうき》しろ！」

『RL〝20〟に同期します。……ダメです、安定しません』

「大和《やまと》、慌《あわ》てるな。フランジ内の電位分布を再チェック。電位が〝振動〟しているぞ」

『ラダー・バランス、オン。教官、電圧、ベース電位に、戻りました……』

「よし、バランサーをネガティブにし、電位バランスを手動でレギュレーションしろ」

『フランジ内、電圧バラスト、レベル・グリーン確認……安定しました』

「よ～し、それでいい。システムを〝オート〟に戻せ」

『了解しました。システム、戻します』

＊注　重力機の制御は、縦方向の重力場《じゅうりょくば》を同じ縦方向の電界《でんかい》と回転する磁界《じかい》で制御する。その調整が不安定になると機体の位置が維持できない。

（文中の用語）バーティカルレベル＝縦方向の重力ベクトル、サチレイト＝不安定、RL＝安定化レベル、フランジ＝外周部、ラダー・バランス＝ラダーのバランス、レギュレーション＝安定化

地上のスタッフの顔に、安堵《あんど》の表情が戻ってきた。

指導教官はモニターの向こうにいる訓練生に、指示を出し始めた。

「よし、大和。ランディング〝GO〟だ。こちらのガイド・シグナルを確認しホーム・リターンにしろ。シグナルを確認したら、コントロールをこちらへ渡せ。いいな！」

『……大和、了解！』

大和と呼ばれた訓練生は、モニターから返事をした。

指導教官は、室内を見渡して、スタッフ全員に待機の合図をした。

ナビゲーターが、モニターを見ながらカウントダウンを始めた。

「10・9・8・7・6・……」

「1号機の信号、捉《とら》えました！」とナビゲーター。

「大和、軌道を確保しろ！」と教官が訓練機に命じた。

『軌道確保しました。インジケーター、オールグリーン！』と大和。

「1号機、ランディングコースに入りました。」ナビゲーターが声高に告げると、大モニターを食い入るように見ていた若者二人が、部屋の外へと飛び出して行った。

屋外では、緊急事態に備え、消防隊と医療班がスクランブル態勢を取っていた。

建物から出た二人は、島の上空を見つめていた。

すると雲の間から、ごま粒ほどの小さな白い点が、基地に向かってくるのが見えた。

白い点が、機体と確認できる高度になると、中央広場に発光するリング状のエリアが浮き上がった。やがて、重力機が、ゆっくり静かに着地面に近づくと、すぐさま消防隊と医療班が急行した。そのとき、着陸した機体に向かって走る一人の若い男がいた。

帰還した訓練生のチームのリーダー「田口《たぐち》 隼《しゅん》」だった。

着陸した機体のドアが静かにスライドすると、中から一人の若者が出てきた。

彼は、駆け付けた田口に片手を挙げ、汗でぬれた髪の下から笑顔を作ろうとした。

顔が若かった。二十歳《はたち》くらいだろうか。未だやんちゃな男の子という風だった。

大和に走り寄った田口が、

「那由多《なゆた》、大丈夫か？」と声をかけた。

「ノープロブレム。田口さん！」

田口は、返事をせず彼の肩を抱き寄せた。

控え室へ向かう途中で、もう一人の若者が声をかけた。

顔は笑ってはいたが、しかし目は笑っていなかった。

「那由多！　俺のお守り…貸したよな！　まさか、なくしてないよな！」

と、田口よりはトゲがあった。

大和は、手で首の周りを撫《な》で回した。

「あぁっ、伊吹《いぶき》ごめん！……俺、どこかに落としたみたいだ、ごめんな……」

伊吹は、黙って大和の顔を見ると、何か独り言を言った。

大和が乗った重力機は、点検のため整備用ドックに移動した。

整備に当たったメカニックが、座席に白い小さなぬいぐるみを発見した。

「なんだ、忘れ物か？」

別のメカニックが、隣からのぞき込み、

「俺も、最初は、お守りをポケットに入れていたもんさ」

二人のメカニックは、笑いながら白い熊のぬいぐるみを回収ボックスに放り込んだ。

「日の丸」宇宙基地

大和らは、島で宇宙飛行士として訓練を受ける同期生だった。現在、島に残っている訓練生は合計6人。1チーム3人ずつで、2チームが存在していた。彼ら訓練生は、「ＥＯＳ《イーオス》搭乗員候補・第8期訓練生」と呼ばれていた。

島を運営する財団が、地上3万5000キロに《ＥＯＳ》（エクボ・オブザービングステーション）という宇宙実験施設を打ち上げていた。

彼らがいる島は、財団の研究施設の一部であり、《Ｅ《イー》アイランド》と呼ばれていた。それはまた同時に、宇宙活動用の訓練基地として「宇宙港」の機能も有していた。

先ほど訓練機から降りてきたのは、第8期訓練生「大和那由多《やまとなゆた》」。父親の大和光二《やまとこうじ》は、島の制御部門を統括する重要な役職者の一人だった。

那由多ら訓練生は、誰もがＥＯＳの次期搭乗員を目指していた。だが、その門は狭かった。

彼らは訓練仲間であると同時に、ライバルでもあった。「島育ち」とも言える那由多を除けば、候補生のほとんどは、島外で激しい競争を勝ち抜いてきたエリートたちだった。

那由多に駆け寄った田口隼は、ニューヨーク大学（ＮＹＵ）大学院で数学のドクターを持つ俊才だった。人望があり、次期「船長候補」としての成長が期待される逸材だった。

もう1人のチームメイト伊吹《いぶき》高《たかし》も、10代で修士を取った秀才だった。訓練では田口に次ぐ成績を収めていた。彼の父はＪＡＸＡ《ジャクサ》本部勤務で、ＭＳ（ミッションスペシャリスト＝搭乗《とうじょう》運用《うんよう》技術者《ぎじゅつしゃ》）になりたかった夢を、今は息子に託していた。

訓練期間が始まったときは15人いた第8期生が、今では6人に減っていた。「重力機技術士2級（重技2級）」に受からないと、訓練継続ができないからだ。

残った6人に、去って行く連中は「俺の分も頑張ってくれ」と言い残した。

だが、その胸中は複雑だったに違いない。

那由多は、今回の訓練に入る前に「重技2級」の「予備試験」に受かっており、法規科目の履修《りしゅう》を免除されていた。それを不公平と思う者もいたが、那由多は全く気にしなかった。

彼らが目指すＥＯＳは、宇宙に浮かぶ「未来技術の象徴」だった。

ＥＯＳには、地上からもわかるように胴体に大きく「日の丸」が描かれていた。

宇宙を見て、ＥＯＳを見つけると「誇り」を感じる人々も多かった。

日本は、２０２０年代の世界的ウイルス騒動後、Ｇ７が打ち出した「財政拡大」を新内閣が採択したため、海外に散った製造拠点が、以降徐々に国内に戻り始め、２０４０年代の最近では、著しい「ＧＤＰ」の改善が見られていた。

そんな経済発展の中でも、宇宙開発への出遅れは大きかった。

あまり知られていないが、宇宙には宇宙の国際法が存在し、月面の土地も日本以外の各国が、すでに分配を終えていた。

日本は大型の宇宙基地や宇宙ステーションを持つことができず、気象観測衛星以外では、ＧＮＳＳ（全球測位衛星システム）の自主運用がせいぜいだった。大国が自由に持つ「中継衛星」や「監視衛星」などは、未だに持つことは許されなかった。

「はやぶさ」で名を成したＪＡＸＡさえ、２０２０年代の共産主義国家崩壊後の第２次「宇宙開発競争」から、アメリカに協力を強いられていた。

ＪＡＸＡでは、日本人宇宙飛行士の訓練も米国のルールで行われていた。

そんな中、早くから、各国への製造事業や研究機関への支援活動を通じてノウハウと研究成果を長期提供することで、国際的な評価を得ることに成功した団体もあった。ここ《Ｅアイランド》を運営する財団も、日本の民間財団として、初めて宇宙基地ＥＯＳを打ち上げ、未来を見据えた次世代向け技術開発や、宇宙での理化学実験を代行する事業で成功していた。

それが可能になったのは、財団の理念に賛同する財団会員が、各国政府関係者や内外の著名企業の経営陣の中にも多く存在し、30年以上の時を経て「目に見えない」人的ネットワークができていたことが大きかった。

さらに、ＥＯＳは、国際的な「宇宙の中立点」として暗黙の了解を得ており、宇宙での緊急の防災活動や救助活動の一端を担っていた。

ＥＯＳの最大の特長は、他の「宇宙ステーション」とは違い、財団が保有する高周波高電圧技術を利用した「重力場制御《じゅうりょくばせいぎょ》システム」を移動手段に使って、一般的なロケット噴射やイオンエンジンのように反作用を使わずに宇宙空間を移動できることだった。

ＥＯＳの技術は、当然「航空自衛隊宇宙作戦隊」や「ＮＡＳＡ」の研究チームにも公開され、かつてトランプ大統領が２０１９年に再編した「米国宇宙軍」の高度研究項目のひとつにもなっていた。

ＥＯＳの存在は多くの人に、子供時代に感じたワクワクする「希望」を与えていた。

交代要員

そのＥＯＳで、半年ごとの搭乗クルーの交代が近づいていた。

これが、候補生らにとって、願ってもないチャンスとなった。

搭乗が予定されていた次期飛行士が、アメリカから突然帰国できなくなったのだ。

ジョンソン宇宙センター内で「新型感染症」の「陽性者」が確認され、防疫の目的から訓練中の飛行士全員が「2週間」の隔離状態になってしまったからだ。

「パンデミック騒動」こそ起きなかったが軍規に基づく処置が行われた。

米国研修中のEOS交代要員が隔離されたことを受け、財団はJAXAに、搭乗員の応援を要請した。

JAXA側の回答は、「応じられない」だった。

別ルートの内部情報によると、「陽性者」を出した米軍側でも実働可能な飛行士が足りず、JAXAに米国への応援を指示したからだ。

財団は、緊急措置として「訓練生から選抜する」と島の基地に通達してきた。

これは訓練生にとっては、宇宙へ出る千載一遇《せんざいいちぐう》の「チャンス」だった。


候補生たちは、湧き上がった。

島の候補生6名は、すでに訓練で優秀な成績を収めていた。中でも選抜を確実視されたのは「田口」だった。

本人は、冷やかされながら「最後までわからないさ」と冷静だったが、伊吹は次は「自分だ」と思っていた。直近の成績で、最高得点をたたき出していたからだ。

一方、那由多は、今回の選抜にこだわらなかった。

「外部枠」として加わったほかの候補生にとっては、まさに今回は千載一遇のチャンスかもしれない。

だが、島の出身である那由多は、今後も宇宙へ行けるチャンスがあった。

那由多は、今すぐクルーに選ばれるより、もっと多くの経験を積みたかった。

一日でも早く、兄や父親を超えるような人間になりたかった。

彼は、訓練中に「重技2級」の本試験に「合格」し、幼なじみの「ある女性」に次のようなメッセージを送っていた。

天音　様

僕は、「重力機技術士2級」本試験に合格し、宇宙飛行のライセンスを手に入れました。

地球を離れ重力機から見た宇宙空間は、思った以上に「漆黒《しっこく》」でした。

光も闇も、何もかも包み込むかのように。

宇宙から眺めた地球は、闇に浮かぶ、まるで「命」そのものでした。

地上の持つ「命」まで自分の肌で感じているような感じがして、僕はそのとき無限の可能性というものが本当にあると、身体中の細胞が、訴えているように感じました。

もちろんそれでも、僕は、僕のままで変わるはずもなく、性格が以前より丸くなったわけでもないけれど、地上での経験が、この宇宙でつながることで、本当の自分が、目を覚ましたような気がするのです。

うまく伝わらないかもしれないけれど、僕はもう、こだわりも、わだかまりも、ありません。

アマネが僕に言った「本当の自分」を見つける活躍の場を、今では僕も心から祝福しています。

アマネが、まっすぐ前を見てこれからも頑張って生きてほしいと思っています。

そして、いつの日か、僕が感じた宇宙を、君にもぜひ感じてほしいと思っています。

那由多

2045年　7月8日

2章 邂逅――スクープのチャンス？

漂着――

三井茂は、目覚めるとベッドの中にいた。
白い部屋の中だった。
だが彼は、なぜそこにいるのか自分でもわからなかった。
壁の時計が「9月3日」を示している。
（……9月……？……　冗談だろ……）
記憶が、8月で止まっていた。
夢か？
「いや、違う」と想《おも》い直した。
記憶にあるのは、ボートで海へ出たことだった。

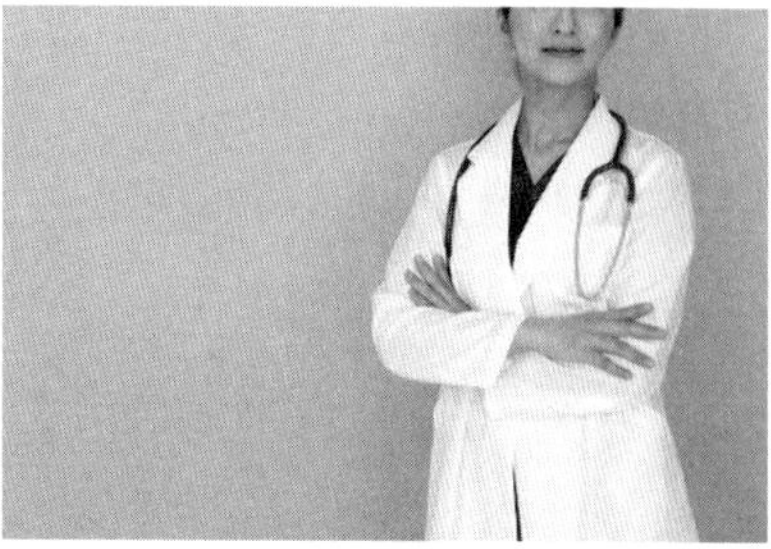

（……俺は海に出て、それから……）

そうだ、巨大魚を追ってプレジャーボートを借りて海へ……。

それが海のど真ん中で、燃料切れに……。

だんだんと、記憶がよみがえってきた。

それから……え～と……。

「だめだ、思い出せない！」

思い出そうとすると、頭が痛んだ。

身を起こそうとしたが、身体が重く痛い。

「くそ、どうなってんだ……」

落ち着こうとして、首だけ起こしてベッドの周囲を見渡した。

部屋の壁が、ゆるやかな曲面になっていた。

ベッドの右にある窓は、天井まで伸びていた。

窓ガラスは半透明で、外が見えなかった。ただ室内に差し込む日差しで外が晴れているらしいことがわかった。

（いったいここは、どこだ？）

三井が、身体を起こしかけたとき、誰かがドアをノックした。

入ってきたのは二十歳そこそこに見える若い娘だった。ここの関係者らしい白い制服が、清潔感を感じさせた。

　彼女は、三井が目を覚ましたのを見て、

「よかった。お目覚めですね？　ご気分はいかがですか？」と声をかけた。

　三井は、すこし身を起こし、娘に尋ねた。

「看護婦さん。ここはどこなんだ？」

「どこの病院なんだ？」

　乱暴な口調に、彼女は微笑し、胸の通信端末に話し始めた。

「患者さんがお目覚めです。……ええ、お元気です。……はい、了解しました……」

　どうやら、医者との通話らしい。

「おい、看護婦さん……教えろよ……」

「はい、三井さんですよね。私は、ムナカタと言います」

「あ、ああ……ムナカタさん……ね」

「それと、私は医師です。まだ若輩ですけどね……」

　言われて彼女のネームプレートを見た。確かに「医師　宗像天音」とある。

　若いな、と三井は思った。

「なら先生。ここはどこなんだ？　今日は、何月何日だ？」

「ココは医療施設です。でも、三井さんの知ってる病院とは、少し違うかもね」

　三井はおかまいなしに続けた。

「だからどこなんだ、質問に答えろよ」

彼女「宗像天音」は、三井がここに運ばれてきた経緯を説明した。


彼は、海岸で壊れたボートとともに発見されたのだ。

状態が危険だったので、ここへ運ばれて処置を受けた。頭蓋骨《ずがいこつ》骨折が心配されたが、経過が良好だったので、彼の担当医がこの部屋に移すように指示したのだという。

また、日付けも、間違っていないと彼女は、付け加えた。

(それが本当なら、3週間以上も経ってることになる?)

三井は、話がまだ信じられなかった。自分が重傷だった…とはどうしても、信じられない。

彼女のネームプレートをもう一度確かめると、

「ねぇ君……、テンオンさん? 話、だいぶ盛ってない? 頭蓋骨骨折の俺が? こんなスッキリさっぱり治ったたってか?」

一瞬、戸惑って彼女は目を見開いた。

「……名前は〝アマネ〟です!」そして一息おくと、

「ここは少し技術が進んでいます。三井さんがご存じないのは当然ですが……」

「見ろ! 頭。このとおり何ともないじゃないか」

三井は、片手で頭を撫で回した。

そのとき、初めて頭の毛が一部、短いことに気がついた。

「発見時は、側頭部《そくとうぶ》が陥没していて大変危険な状態でした」

三井は黙って聞くしかなかった。

話は信じられなかったが、気分は、だいぶ落ち着いた。

（憎めないな、この娘……）

彼は、気になっていたことを訊いた。

「俺の荷物、知らないか？」

「サイドテーブルの上にありますよ」

三井は枕の横のテーブルを見た。

「これだけ？　ほかに何かなかったか？」

「……それで全部です……」

「何てこった。全部、海の底か……」

身分証と服、そしてガラスが割れた小型スマート端末が置いてあった。

彼は、準備せず海に出たことを後悔した。

女医――

俺が、怪我《けが》をした…のはおそらく本当なのだろう。

だが、この娘は何か、隠してるな……。

少し探りを入れるか……。

「ねぇ君、何年、ここで働いてんの」

「勤務は、まだ1カ月ほどです」

「俺を見つけたのも……あんたなの？」

「いえ、発見者はこの近くの訓練生です」

「訓練生？」

「ええ、この近くに飛行士養成所があるんですよ」

「飛行機のか？」

「いいえ、宇宙訓練用の施設です」

宇宙訓練用？　日本？　ＪＡＸＡ？

「な、ここはどこなんだ？」

アマネは、少し真面目な顔で、

「まだ、それはお話しできないんです」

「どこにいるかくらい、教えてくれよ」

「ごめんなさい、私には権限がないんです……」

「じゃあ、誰なら権限があるってぇの？」

「それは……」

押し問答をしていると、背後でドアが開く音がした。

「あら、ずいぶん元気そうね〜！」

女性の声で振り返ると、彼女は「白衣」を着て立っていた。

アマネと同じ制服の上から、長めの白衣を羽織っている。

また女か……と三井は思った。


「キョウコさん、患者さんに説明をお願いします。」

アマネがキョウコと呼んだ白衣の女は、アマネの上司で、主任の河合《かわい》だと名乗った。

「万全の状態に戻ったら、必ずお帰しします。ですから、それまで何かと不便があるかもしれませんが、ここでの治療を受けてください」

……冗談じゃない。特ダネが逃げちまう。

「俺は、大事な仕事の途中なんだ。早くここから出してくれ」

河合は、三井の顔を見つめ怖い顔をした。そしてポケットから小さなリモコンを取り出すとスイッチを入れた。

さっきまで壁だと思っていたところに、幅80インチほどのモニターが明るく浮かび上がった。

「あなたの発見当初の記録です」

河合は、紫色に変色した肌の男が、真っ白な顔で処置室へ運ばれる映像を映した。

「これが発見されたときのあなたです」

……確かに俺だと思った。ひどいザマだった。

河合は、次に処置風景を三井に見せた。

「今、あなたの処置をしています。ＭＲＩ画像を見てください、側頭部に血腫《けっしゅ》があるのがわかりますか?」

血腫と言われても三井にはわからないが、何かが溜《た》まったところが頭蓋骨の下にあった。

しかも、骨がわずかに内側に凹《へこ》んでいる。

画面を観《み》ていると、頭に何か強烈な赤い光を当てていた。

だが、骨にドリルで穴を開けるようなことはしなかった。

「ブレスライト処置です。脳内出血にはこの方法が最も効果的です」

「溜まった血はどうするんだ……」

「正しく処置すれば、身体は細胞をまた再利用します。あなたも『自食《じしょく》』って言葉は知っているでしょ」

「自食……オートファジーか」三井はつぶやいた。

オートファジーとも呼ばれる自食作用は、細胞自体が自己を分解・再利用する新陳代謝《しんちんたいしゃ》機構だ。細胞が危機に陥ると特に活発化すると、三井も聞いたことはある。

映像では、手術台の上の裸の男を、数人が仰向けにしていた。

意識のない男の二の腕がおかしな方向に曲がっていた。

「腕の骨折処置でも同じライトを使います。その後で、回復を早める別の処置もしましたけどね……」

三井は目が画面に釘付《くぎ》けだった。こんな映像は見たことがなかった。

観ている間に画面の中の自分の顔色がどんどんよくなっていくのがわかったからだ。

女医はモニターのスイッチを切った。

「三井さん。もう少しここで治療を受けてください。そうすれば取材でもどこでも自由に行ってかまいません」

「あ、ああ……」


死人のように蒼《あお》い顔が、彼の目に焼き付いた。

俺は、ここに来なければ本当に死んでいただろう。作り物の映像じゃない。

ジャーナリストの勘《かん》がそう言っていた。

話を終えた女医は、無言で出口へ向かっていた。

「先生……」

女医は振り返ると、

「河合です。河合《かわ》恭子《いきょうこ》……。先生はやめてね」

「ああ、わかった河合さん。俺はいつまでココにいればいい？」

河合はにっこり笑うと……。

三井に近づき、

「お腹《なか》すかない？」と尋ねた。

「あ、ああ。そういえば急に喰《く》いたくなったな……」

河合はアマネを見て、

「アマネちゃん。彼にアレを出して差し上げて……」

「あ、はい。最初のメニューですね」

「そ、最初はやっぱりアレがいいわね」

そして河合は、三井に言った。

「ま、1カ月かな……いいとこ」

「ん……、そうか……長いな……」

「バカ言わない。死にかけたのよ。取材は生きていてコソでしょ」

三井は腹を決めた。

特ダネはあきらめよう。もっといいネタがきっとある。

「わかった、世話になるよ、先生」

河合は、人差し指を立てて小さく振った。

「河合恭子さん……でしょ」

そして小さくウインクして、彼女は部屋を出て行った。

三井は、初めて笑った。

「そうだな。河合恭子さんか、……今は、感謝してるよ」

アマネが壁から何かを運んできた。

「三井さん、お食事の用意ができました」

三井はベッドから身体を起こすと両足をだらりと床に下ろした。

やはり身体が重かった。

「お、食い物か！　嬉しいね。本当に腹が減ってきたんだ」

アマネは、二種類の入れ物とスプーンをトレーごと、ベッドテーブルの上に載せた。

「じゃ、私も行きますから、ゆっくり食べてください。また診に来ますから」

そう言ってドアを閉め、アマネも部屋を出て行った。

どんなご馳走《ちそう》かワクワクしながら三井は可動式のベッドテーブルを引き寄せた。

「何かな……」

容器の蓋《ふた》を開け、中をのぞいた。

「おい、待てよ……なんだぁこれは……」

容器それぞれには、ベビーフードと、そして温めた野菜ジュースが入っていた。

「あのくそ女、何が……やっぱりアレがいいわね……だ。礼を言って損したぞ～！」

そんな興奮した三井の状態も、医療センターで記録されていた。

窓からまだ日が差していた。

程なく三井はベッドで眠った。

容器の中身は、すっかり空になっていた。

一日一食……

一晩寝たら、身体も少し動くようになった。病人は、食事が楽しみだ。だが、ここでは、日に一食だけしか出さないようだった。腹が減って困ったわけではないが、世話をしに来たアマネに三井は、少し嫌みを言った。

「宗像さんよ。せめて朝飯くらい喰わせてくれない？　俺は怪我人なんだぜ！」

アマネの答えは意外なものだった。

「怪我人だからこそ、一食なんですよ。消化にエネルギーを回さないで傷を早く治すのに、敢えて一食にしているんですから」

「はあ？　そんなこと聞いたことねぇぞ。誰の指示だ、河合恭子か？」

「ここでの常識です。三井さん」

三井には理解できなかった。

傷治すなら、喰わなきゃダメだろう？　ホントに医者かぁ……。

何の宗教だ？　こいつら。ヤバイ所にいるんじゃないかと心配になった。

午後からは、アマネの指導でリハビリが始まった。

リハビリは、同じ部屋で行った。

「じゃあ三井さん、服装はそのままでいいですから、こちらへゆっくり来てください」

（年寄り扱いするな！）と思ったが、床についた足が思わずもつれた……。

大したことない……と、リハビリを甘く見ていた三井だが、最初から出鼻をくじかれた。

「宗像さんよ。あの食い物、栄養が足りてねぇんじゃねえか？」

動かない身体に、弱音を吐いた。

「3週間寝たきりだったって言ったじゃありませんか」

アマネに諭《さと》された。


リハビリは3日おきに新たなメニューが追加された。

相当なハイペースだが、身体は日々動かしやすくなっていた。

翌週には、部屋の外に出る許可が与えられた。

お決まりのシャワーのあと、初めて病室の外へ出た三井は、意外に大勢の人間がここで働いていることに驚いた。病室の外は広い通路になっていて、通路の外は屋外だった。

その通路はよく見ると、緩《ゆる》やかなカーブを描いていた。おそらく建物が円形になっているのだろう。

アマネが三井を先導して、少し先の「回復室」へと向かった。

驚いたのは、すれ違う人々が自分や彼女に友好的なことだった。特にアマネには誰もが「宗像さん」と声をかけ笑顔で挨拶《あいさつ》していた。アマネに伴われた三井にも、知らない誰かが「三井さん、おはようございます」と挨拶してくれた。

「なんで俺のこと、知ってるんだ」と彼女に訊くと、

「ここに来た人の情報は、各部署のモニターで表示されるんです」

「へ、じゃあ、お尋ね者だな……俺は」

「違いますよ。他人じゃないと、ここでは皆が思うからです」

……へぇ……

と三井は思った。

理念的共同体？　でなければ小さな村社会？　ま、どっちでもいいと彼は思った。

……にしても、どこなんだ……

当初感じた空腹は、今はあまり感じなかった。日々のリハビリが効いてかこの短期間で普通の生活ができるほどに筋力が戻り、歩く脚にも力が入るようになっていた。

（こいつが言った「早く治す」……て、本当だったのかもな）

特ダネ――

2週目のある日。三井は午後のリハビリ後にカリキュラムもなく退屈していた。

映像で観た《光線医療《こうせんいりょう》》と、初めて見た《振動医療《しんどういりょう》》を使うリハビリのおかげで、今では少しなら走れるほどになっていた。

「外の友人に連絡を取りたい」と回診に来た河合に訴えたが、却下された。

「これじゃ監禁じゃないか。人権侵害だろう?」と抗議すると、

「ここには、あなたがすぐに使えるような通信設備がないの」と言われた。

「じゃあ、ここはどこなんだ？　俺をどうするつもりだ」

「ここがどこかはいずれわかるわ。それから、前にも言ったとおり、きちんと手順を踏んでくれれば、間違いなく元の生活に戻れるの」

同じ説明は、目覚めた日にも受けていた。だが……。

納得しない三井に、河合は言った。

「あなたはジャーナリストよね。だから、ほかの職種の人以上に、ここをよく理解してもらう必要があるの！」

その後、リクエストをしたわけではなかったが、河合がシンプルなメディア端末を貸してくれたので、外のニュースが観られるようになった。

おかげで、小一時間ほどで世間の状況があらかたわかった。

追っていた「巨大魚」については、目立った続報は特になかった。


食事まではまだ時間がある。ニュースに飽きた三井は、部屋のドアを開けた。

幸い、通路には誰もいない。

三井は、回復室へ行くふりをして通路の反対側へ行ってみることにした。

少し歩くと、部屋と部屋の隙間《すきま》に、円形の通路から直角に奥へ入る通路があった。

その先には、休憩室のような空間があった。誰か、彼の前に先客がいた。

慌てて隠れた三井の耳に、聞き覚えのある声が聞こえてきた。女の声だった。

「あいつ（宗像天音）だ」

聞いたらまずいと思いながらも、好奇心にかられた。

少しずつ近づいて、自販機のようなマシンの物陰から三井は聞き耳を立てた。

アマネが誰かと話していた。彼女が呼び出した誰からしい。どうやらお互い、同じ施設にいたことに驚いている様子だった。

相手は男で、彼女の同僚のようではなく、もっと親しい関係のようだった。

相手は、名字ではなく「アマネ」という名前で呼んでいた。

「ほぉ。アマネ……ね」

他意のない盗み聞きだったが、そのおかげで三井は、願ってもない情報を手に入れる。

概要はこうだった。

アマネがここに来たのは、増え続ける「自己免疫疾患《じこめんえきしっかん》」の原因を解明する研究の「助手」を「河合」に頼まれたからだった。

河合は、20年以上前に世界中で接種された「マイクロRNA製剤」が原因ではないかと考えていた。

アマネが「コウ」と呼ぶ相手は、大学の研究者で昨年からこの施設の研究チームと協働した、「新」海洋資源開発に関わっているらしかった。

その彼がここに来た理由！　それが、三井の心を鷲《わし》づかみにした話だった。

研究者・鮌《こう》は、近未来のため海洋生物の「先祖返り」を研究していた。

古代生物は、現代生物より、はるかにサイズが大きい。しかし、その子孫と考えられる同種の現代生物さえ、かなり「小型」になっていた。

この理由を、種の多様化に対する「遺伝情報の共存調整」と考えた彼は、遺伝子に今もなお保存されている本来のサイズを引き出せれば、同じ生物でも、「大きく」なるのではないかと考えたのだ。

彼は、彼の実験室の「金魚」が「30センチ」以上になることを発見したが、大学で予算が取れず、外に共同研究相手を探して、ここのメンバーと一緒に実験を始めたのだ。

実験は成功し、サンプルは順調に成長したが予想以上に生育が早く、一体が実験水槽から海へ逃げ出し、最近のメディアで「ニュース」になってしまった。

三井は、思わず小躍《こおど》りして声を上げるところだった。

あの魚、生まれは、ここだったか……！

「俺は、なんて運がいいんだ……」

三井に聞かれているとは知らず、アマネと鮌は話し続けた。

「君がここにいることは、那由多に言わないのか？」

「ええ、言わないでほしいの」

「でも、いつかはわかることだよ」

「わかってる。でも、今は、彼を邪魔したくない……」

「気持ちはわかる。でも、気を遣《つか》う必要はないと思うんだ。兄の僕が言うのも何だけど、那由多のヤツ、最近逞《たくま》しくなってね。君にふられたことも、もう全然引きずってないと思うんだよ」

「別に私、那由多をふったわけじゃ……」

「あ、ごめん。言い方が悪かったな」

アマネは、那由多から届いたメッセージを思い出していた。

そして、

「そう？　彼も歩いているのね、本当に……」

と、独り言のようにつぶやいた。

アマネ自身は、恋愛には淡白だった。彼女は、彼にとって今が大事な時期でもあり余計なさざ波を立て那由多の邪魔をしてしまうことが、一番の心配だったのだ。

若い医師と研究者は、お互いの近況などなおも話し込んでいた。

三井は、もはや彼らのことなど眼中になく、ここで助けられたことに心から感謝していた。

「やっぱりアレは俺の〝モノ〟だぜ……。へへィ！」と、笑みを浮かべていた。

3章 微小物質――エクソソーム

島――

鯱の話を聞いた三井は、今、自分が「どこ」にいるのか、さらに知りたくなった。

彼はこの施設について、何も知らない。歩き回って目にしたところといえば、最初に目覚めた病室と、ここ数日通った回復室（リハビリ室）だけだった。

この施設。そして、あの鯱という研究者の正体……。

（ここのどこかに、「巨大魚」のお仲間が必ずいるはずだ……）

だとすれば、ここはただの病院じゃない。世間に隠れて何かしている……。

（なんとしてでも秘密を暴《あば》いてやる。あいつのおかげで怪我までしたんだからな……）

いつの間にか三井の中で、怪我は「鯱」のせいになっていた。

人間のエゴとは勝手なものだ。

ここがどこかは、河合からも聞き出せない。

（たとえ傷が完全に癒《い》えても、俺が知りたいことを教えてくれるとは限らない）

だとすれば、退院させられてからでは遅い……な。


いつもの夕食を終え、夜になった。アマネは、機嫌よく食事をベッドテーブルに載せたが、三井はそっけなく対応した。こいつらのおかげで怪我をしたと思ったからだ。

そして意を決した三井は、未明に病室を抜け出した。

昼間から作戦を立て、準備をした。

薄明かりの差してきた窓が開かないことは、すでに確認済みだ。

教えられた壁のパネルに触れ、配送ロボットにティッシュを持ってこさせた。

ロボットが部屋に入ると、入れ違いに廊下に出た。誰もいないことを確認すると、場所を確認しておいた非常口の開閉ボタンを押した。

すぐにアラームが鳴り響き、警備担当の保安員が駆けつけるのは時間の問題だった。背後に自動音声の警告を聞きながら、彼はとにかく走りに走った。

（くそー、息が続かない……）

もつれる脚で、しまいにはよろよろと施設の外周と思われる敷地から外へと出た。

肩で息をしながら振り返ると、彼が治療を受けていた部屋は、巨大な円形の建物の内部だとわかった。

とりあえず、できるだけ遠くへ行こう。河合には悪いが、すこし自由にさせてもらう。

(明るくなったら、人ごみに紛れて街の様子を探ろう……)

河合から借りた端末には撮影機能があった。通話はダメだが、写真は撮れる。

想像以上に脚が重かったが、人のいる場所を避けて、三井は歩き続けた。


どのぐらい歩いただろうか――。

泥のような身体をひきずって、かなり歩いたように感じたが、時間を見ると10分ほどしか経っていなかった。

ちょっとした高台に登った三井の眼の前に、いきなり海が広がっていた。

三井はこのとき、自分が「島」にいることを初めて知った。

目の前に、曙《あけぼの》の海面が広がっていた。

(島だ。だが、どこの島だ……)

振り返ると、遠方に大きな入り江が見えた。

その対岸に、背の高い建物が林立しているのが見える。

この景色には、確か見覚えがあった。

「……SCM《エスシーエム》企業群！」

特徴あるビル群は、日本が2030年代から力を注ぐ《常温超電導技術《じょうおんちょうでんどう》》中心地帯・スーパーコンダクターマウンテンの象徴であり、子供にもよく知られている光景だった。

(だとすると……、俺がいるこの島は『Eアイランド』?……)

SCMが、先端機器の製造を担っているのに対し、Eアイランド(エクボランド)は、私設財団が運営し基礎技術開発を行っている研究開発情報の発信地だった。

内部にたくさんの機密を有するこの「島」に、外部の者が入ることはまずできないと、ジャーナリストなら誰もが知っていた。

(これは、魚どころじゃない! 俺は、「特ダネの宝庫」のど真ん中にいるらしい!)

三井は興奮に身震いしながら、自分の「運」に感謝した。

監視――

朝日が、病室の中に差し始めた頃――。

連れ戻された三井の病室に、河合が回診にやってきた。気まずさから寝たふりをしていると、「狸《たぬき》寝入りね」と見破られた。三井の横顔には、小さな赤いアザがあった。

「本当に油断ならない人だわ……」とバイタルチェックを済ませると、河合は「あれだけ走れるんだから、もう体調は問題なし。今日で退院、強制退去よ」と言った。

三井は、その言葉にガバとはね起き、「おいおい、勘弁してくれよ」と言った。

「まだ頭が痛むんだよ。ほら、この陥没したところ……」

「あら、怪我をしていたのは反対側だったのに、変ね？」

「まだ退院できっこないよ。だいたい、自分がどうして外にいたのかわからない。記憶が混乱しているみたいだ……」

「嘘《うそ》をおっしゃい。保安員に抵抗したくせに」

「……」


未明、三井は高台の岩に座り、街を探る算段をしていた。少しずつ明るくなる海を眺めながら、思わず鼻歌を歌っていた。

そのとき、三井の背後からいきなり男の声がした。

「三井茂だな。おとなしくしろ」

驚いて振り返ると、ヘルメットを被《かぶ》った保安員が彼をぐるりと取り囲んでいた。

三人は、手にそれぞれ警棒らしきものを持っていた。

三井はすぐ逃げたが、追いつかれて近くの男に蹴りを入れた。

……だが、蹴ったつもりが、その足が宙を切り、あっけなく仰向けにひっくり返った。

三井は、そのまま三人の男に取り押さえられた。

そのぶざまな顛末《てんまつ》を、三井は思い出したくもなかった。

「抵抗なんて言うほどのことは、何もしていない」

三井は、憮然《ぶぜん》とした顔で女医に言った。

河合は、その返事を聞き流して続けた。

「ここが島であることはわかったわね？」

「ああ……。Eアイランドだろう」

「あなたの処遇をすぐに変えるよう言われたわ」

三井は、もはやこれまでと観念した。

「強制退去か……だが、俺があそこにいたことが、なぜすぐにバレたんだ？」

「簡単にいうと、あなたの発する想念波形《そうねんはけい》、つまり思念《しねん》パターンが登録されているの」

「何だ、それ？　登録？　人権侵害にならないのか？」

「法の規制はないわ。そもそもそんな技術、ほかにないでしょ？」

「ここじゃあ、指紋と同様にその思念パターンってヤツを取って、管理しているのか？」

「いいえ、本来なら本人の同意なく、そんなことはしません。でも、あなたが手続きを経ずに島に入ってきた以上、勝手にでも登録しなければココにいられないのよ」

「逃げたのは、君が報告したのか？」

「いいえ……。あなたが無断で部屋から出たときに、自動的に警戒装置が働いたのよ」

「あ、なるほど……」

河合は、肩を落としている三井に、

「では、私は診療があるから」と出て行こうとした。

「ああ、だいぶ世話になったな……」

三井の礼に、「あら神妙な……」と応じた河合は、ニヤリと笑ってこう言った。

「そうそう、大事なことを言い忘れた。上層部は、あなたに取材を許可すると言っています。私は『強制退去』と言いたいけど、しかたないわね」

「本当《マジ》か！」

思わずガッツポーズを取り、「イテテ……」と顔を押さえた。

「ただし！　今後、あなたには厳重な見張りが付き、案内に従って取材をしてもらうことになります」

女医は、厄介者に釘を刺すと白衣を軽やかに翻《ひるがえ》して部屋を出て行った。

少女——

診療室に戻った河合は、いつもと同じように、デスクに伏せてあった小さな写真立てを手に取り、しばし眺めた。

若い夫婦の間で、屈託のない笑顔を見せている小学生ぐらいの女の子が写っていた。

その日、彼女のもとに、若い母親が「発疹《ほっしん》が治まらない」と少女を連れてきた。ここに来て間もない若い美容師で、まだ島のルールに不慣れなようだった。

7歳になったばかりだという、あどけない顔の女の子に向き合い、

「どれどれ、先生に見せてくれるかな？」と河合。

少女は、診察用の椅子にちょこんと座ると、自分から服をめくってお腹を見せる。

河合が「ありがとう。えらいね」と褒《ほ》めると、にっこり笑った。

脇腹から腹部、さらに鼠径部《そけいぶ》から太ももにかけて発疹が広がっていた。河合は、一目見て、消化管への負担による発疹だとわかった。

「何かの感染症でしょうか？」と母親。

「近頃の人は、なんでも感染症を疑うのね」

河合は、軽く眉をしかめると、母親の目を見て問いかけた。

「お母さん、EIS《イーアイエス》で学習されていますよね？」

EIS――Eアイランド・インテリジェント・システムは、島の大人向けAI学習システムだ。この島では、基本的に子供は学校へ行かない（毎日、課外活動のような集団に参加し、楽しく遊んでいるように見える）。

EISで学習をするのは大人の仕事だ。そして、学んだことを身近な子供たちに教える。子供の疑問に答えられない場合は、EISのセンターに質問できるようになっている。

「最近、受講を始めたばかりで……」と言う母親に、

「この子の症状は感染症ではありません。原因は食事法のマチガイ。つまりお母さん、あなたが解決できることよ」と河合は語りかけた。そして、

「食事のことをちょっと教えてもらえますか？」

「私、何かいけないことをしたんでしょうか？」

「診断の材料として聞かせてほしいだけよ」と説明すると、母親は不安げな面持《おもも》ちで記憶をたどりながら、少女の最近の食事内容を語ってくれた。

聞き終えて河合は言った。

「なるほど……。例えば、朝はパンと牛乳、果物。お昼は児童会の給食（これはいいとして）、夕食は焼き魚にレモンがけ、野菜にトマトと果物、仕上げはプリンといったところね。栄養学的には優秀ですよ。でもね、ちょっと配慮が足りないの」

「何が足りないんでしょうか？」

真剣に尋ねる母親に、

「それはね、消化の早さを無視していること。食べ物ごとの消化速度の違いは、意識していましたか？」

「いいえ……」

「そうよね。消化速度が違う食べ物どうしを一緒に食べ続けると、消化が極端に遅くなって腸壁にこびりついてしまうことがあるの。お子さんの発疹は、そうしたときに起こる症状ですよ」

「そうなんですか？」

「お母さん、ご自分に偏頭痛《へんずつう》はない？　そうでなければ、少し便が出にくいとか」

「えっ、どうしてわかるんですか？」

「実は、それも同じ原因で起こる症状なのよ」

母親は、目を丸くして聞いていた。

説明を終えると、河合は母親に《処方箋《しょほうせん》》を渡した。

「はい。これ、差し上げるわ。今夜からこのメニューでお料理をしてあげてください」

「わかりました……。あの、でも、お薬は……」

「あ、まだここに慣れてないのよね。ここでは、薬を処方することは滅多にないのよ。もっと身体に優しくて、治療に適した方法が使われているの。ＥＩＳで学べばわかるわ。では、お大事になさってください」

「ありがとうございました。がんばります！」

大人の会話をおとなしく聞いていた少女は、母親に連れられて診察室を出るとき、河合を見つめてニコッと笑った。

微笑み返して手を振りながら、女医は胸が苦しくなった。「ごめんね、マリ……」。

島のレストラン

夕方、アマネに伴われてリハビリを終えた三井は、部屋でニュースを見ていた。

すると、そこへ河合が現れた。

三井は、端末から目を離すことなく、

「やあ、また会ったな。俺には監視がつくんじゃなかったか？」

「そうよ」

「監視はどこだ」

「私ですけど？　お気に召さない？」

思わず目を見開き、頰《ほお》を緩めた三井に、河合は表情を変えずに告げた。

「そう指示されたので仕方ないわ。それに、あなたは私が苦手のようだから、監視役には打ってつけでしょう」

「いや……」

少しどぎまぎしてしまうが、それは君が苦手だからでは……。言いかけて三井は言葉を飲み込んだ。

「では、あなたの取材を兼ねた案内を始めます。まずはレストランに行きましょう」

「おお、いいねぇ！　やっと、まともな飯にありつけるのか？」

「虐待されていたような言いぐさね……」

河合は露骨にあきれた表情を向ける。

連れていかれたレストランは、好きなものが自由に取れるビュッフェ方式だった。

「おい、ホントにいくら食ってもタダなんだよな？」

「そう言ったでしょ。調子に乗って食べ過ぎないでよ」

三井は、背中を見てもわかるぐらい、張り切ってカウンターに向かい……。

席に着いて待っていた河合が、あきらめて自分の皿をつつき始めた頃に、ようやく戻ってきた。

一番大きな取り皿の上が、何種類もの肉料理ばかりで山盛りだった。

それを流し込むような勢いで食べる姿に、またも河合はあきれ顔だ。

「いやあ、喰った、食った……」

瞬《また》く間に一皿分料理を平らげ、満足そうな三井に、河合は
「お味はどう？」と尋ねた。

「ああ、やっぱり肉は美味いな。最高だ～！」

「普段から、そんなにお肉ばかり食べてるのかしら？」

「バカ言え！　肉なんて高くて、そうそうありつけないよ」

「あら、でも素材を選べば……」

「あれか？　近頃は、やれソイミートだの、プラントベースフードだのと言うがね…」

「あなたは食べないの？」

「美味くないだろ？　あんなパサパサしたモノ」

「へぇえ……」と、河合は含み笑いをした。

「それにしても、この肉はいいな、どこの肉を使ってるんだい？」

「ええ……、詳しくは知らないけど、国産には違いないわね」

河合は、笑いを噛《か》み殺しながら答えた。

「へぇえ、九州の黒豚か何かかね？」

「ぷうっ！」

思わず吹き出してしまった。

「何だよ、俺、何かおかしなこと言ったか？」

「ごめんなさい……。あんまりマジメな顔で言うから……」と、女医は笑いが止まらない。

「ん……？」

けげんそうな三井に、河合はあらためて説明した。

「この島の中には、動物のお肉なんてないのよ」

「何だって？　現に俺、今食ったろ、これ……」

三井は、きれいに平らげたばかりの皿を見下ろした。そして、

「まさか……、これって？」

「気がついた？　あなたが嫌いな植物製ミートよ」

三井は、再び皿を見下ろすと、しばし目を閉じて黙り込んだ。

「あら、傷ついた？　先に説明しなくてごめんなさい」

形だけ謝《あやま》った河合の顔を、目を見開いて見据える三井。女医がややたじろぐと、

「おい、これ……、もっと喰っていいんだよな？」

「えっ？」

「また、喰っていいよな。いくら食ってもタダだもんな！」

言うが早いか席を立つと、料理が並ぶカウンターへ、向かって行った。

女医は、何が起きたかわからなかった。だが、すぐに笑いがこみ上げ、お腹を抱えて笑い出した。

エクソソーム

「やれやれ……」とあきれ顔の河合だったが、数分後――。

カウンターを物色していた三井が、急にじっと立ちすくんでいるのに気がついた。

難しい顔をしている彼に近寄って声をかけた。

「どうかしたの？」

すると、料理の名前が表示されたプレートを指差し、

「うん……。この辺りに書いてある説明……、これは何だ？」と尋ねてきた。

「あぁ、エクソソームのこと？」

「添加物みたいなものか？」

彼女はおかしくなったが、今度はうまく笑いを抑えた。そして、子供を諭すときのように言葉を選んで説明した。

「聞いたことがあるんじゃないかしら？」

キョトンとしている三井。

「エクソソームというのはね、体内で情報を伝達している微小な物質のこと」

「で……、どうしてそんなものが、ここに書いてあるんだ？」

（ホントに何も知らないのね）と思いながら、説明を続けた。

「そうね……。例えば、栄養素はわかるでしょ？」

「バカにしてるのか？」

その反応は無視して続ける。

「食べ物の滋養というのはね、ただ栄養素だけ摂《と》っても不十分なの。しっかり栄養として役立てるには、食品に含まれている《情報》も一緒に摂る必要があるのよ」

「情報？」

「私たちの食べ物は、すべて生き物に由来するわね。エクソソームは、食行動を介して、生き物から生き物へと受け渡される情報物質なの」

「ふーん……、ビタミンみたいなものか？」

「だいぶ違うけど、まあそう理解してもいいわね。ビタミンもエクソソームも身体の調子を整えてくれるからね」

「エクソソーム……、情報物質ねぇ」

しきりにうなずく三井の食欲はどこへやら。

河合が「もう食べないの？」と訊くと、

「まさか！　身体にいいとわかった以上、俺の食欲はもっと増すのだ！」

三井は手にしたトングを振りかざすと、大げさなしぐさで、豚肉の生姜焼き（風の料理）をガバッとつまみ上げ、自分の取り皿に盛り上げた。

陰——

食後、二人は島の南側の遊歩道を歩いていた。

夕陽《ゆうひ》が水平線を染める残照の中、三井はまだ料理の話に夢中だった。

「味付けはよかった。だが何か物足りない。それが何かわかったんだ」

「それは何……？」

「シェフのクリームの使い方が物足りなかったんだ。うん、間違いない！」

「それ、料理にチーズやミルクの量が少なかったってことかしら？」

「そう、そこだよ！　だいたいピザにマルゲリータがなかったじゃないか。ああ、モッツァレラチーズが喰いたい！」

河合は、やれやれと両手を広げて見せた。

「ねえ、三井さん……。スローフードとファストフードの違いって知ってる？」

「ファストフードって、ハンバーガーとかだろう？」

「それとは別！　消化管を早く通過するのがファストフードよ」

「なんだ、それ？」

「例えば、果物が胃を通過するまでにかかる時間は30分から1時間。ところが、あなたの好きなお肉や、パスタ、穀類などは5時間以上かかるのよ」

「へぇ、初耳だな……」

「60年ほど前から世に知られていたけど、あまり普及しなかった理論なの」

「なるほど……。だけど、たかが消化の遅い早いなんて、どっちでもいい話じゃないのか？」

「そんなことない！　とても大事な考え方よ」

河合は、並んで歩いている三井の前に出て、彼をさえぎるように立った。

「じゃあ、聞かせてくれよ。俺もあの、エクソソームだっけ、そういう話に興味がないわけじゃない」

表情を和《やわ》らげた河合が、歩きながら話を続けた。

「三井さんは、ぜんそくやがんのような免疫疾患が、なぜ最近まで難病だったかわかる？」

「薬がなかった！」

「ブー、違います！　消化速度と免疫の関係が、医療の中でほとんど無視されていたからです」

「何だ、それ？」

「免疫の中心には、消化管と、その影響を強く受ける自律神経《じりつしんけい》の働きがあるの。その働きを調整するカギが、食事にあったというわけよ」

「へえー……」

よく飲み込めていない様子の三井に、河合は説明を続ける。

「スローフードとファストフードの違いは、腸を人体の要だと考えた療法士が1980年代に発表した理論なの。この島では、その理論に則《のっと》った食事を、医療の基本に置いているのよ」

「じゃあ、飯を食うことで治療になるわけ?」

「まあ、そういうことね。あなたがさっき食べたお料理は全部、スローフードとファストフードがお互いに邪魔し合わないから、腸内で停滞せず、腐敗ガスも発生させず、免疫力を最もよく働かせるように計算して調理されたもの、ってわけ」

「そういうことか。それで肉もな……」

説明には納得した三井だが、やはり腸よりは舌と胃袋で考える男らしい。

「……で、それとクリームが少ないことに、何か関係があるのか?」

「そこに話が戻るわけ?」

河合は、思わず笑いながら答えた。

「クリームはスロー食品の代表格よ！　ファスト食品と合

スローフードとファストフード

スローフード	ファストフード	ニュートラルフード
• 肉・魚・チーズ・卵	• ヨーグルト	• 牛乳、油
• 穀物（ご飯、パン、めん類）	• 緑茶	• 酢・ワイン・ビール
• 海藻（コンブ、のり）	• 果物全般（アボカド以外）	• ビターチョコレート
• 野菜全般 ※腸の健康には野菜も重要	• トマト、パプリカ ※トマトは加熱食がベター	• ニンニク、タマネギ、ナス ※ニンニクはがん予防効果大

わせると消化を遅くして、腸内で腐敗することも多いの。ともかく腸が大事！　感染症だって、体表より消化管から感染することが多いんですからね」

「はい、よくわかりました。でもなぁ……、俺はやっぱりコッテリが好きなんだよね」

「いいわ。じゃあ明日はコッテリ系のお料理を食べに行きましょう」

「ほ、ホントか？　約束だぞ！」

「はいはい、約束します」

三井は、満面の笑顔で海に向き直ると、「ヤッター！」と両の拳《こぶし》を突き上げた。

「まったく子供みたいね…」

気をよくした三井は、あらためて河合自身のことを尋ねた。

「なあ、ところで君は、なぜこの島に来たんだ？」

三井と並んで夕陽に向き合った河合は、しばし、あごに片手を当てて考えた後、

「今にして思えば、希望を求めていた……、なんて答えじゃダメかな」

「フッ、希望か……。俺にも昔はそんなモンがあったな」

「あら、今はどうなの」

「そんなもの……。今の世界を見てみろ。バカバカしくて希望なんか持てるか！」

「そう……」

ふと三井は、河合の表情をうかがった。

鬱屈《うっくつ》した気分を女医に吐き出してみたものの、彼女自身、希望を見失っている一人なのでは

ないか？

「俺の気のせいかもしれないが……、ちょっと寂しそうだな」

「そう？　仕事で疲れているのかな……」

そう応じた笑顔には、やはり、どこか「陰《かげ》」が見えた。

「そうか……」

女医の横顔に、三井は努めて無邪気に呼びかけた。

「それじゃあ、今日はもうお開きとしようぜ。えらくご馳走になったな！」

4章　疎隔——宇宙基地での任務

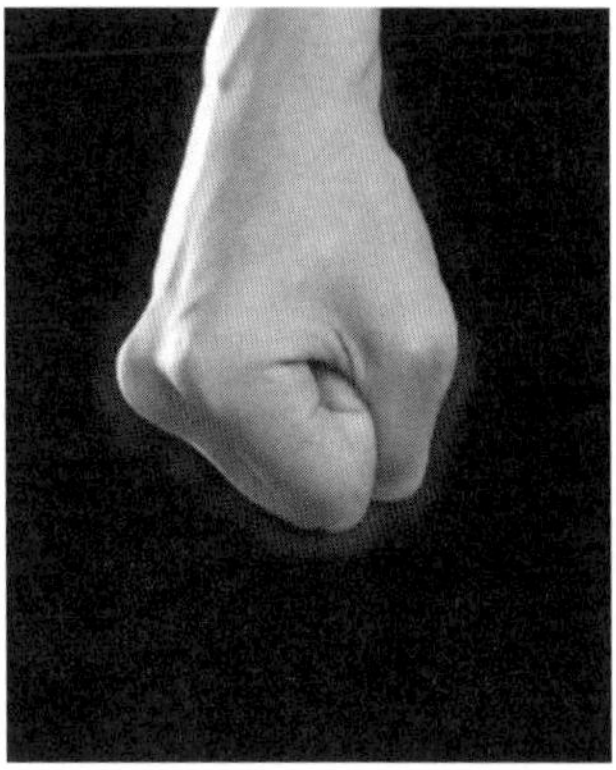

選抜——

時が少しさかのぼる。

海で遭難したジャーナリスト三井茂が目覚める前のこと。那由多ら第8期訓練生に「EOS臨時交代要員」選抜者2名の発表の日が来ていた。

候補者は6名。選ばれるのは「2名」だ。

「田口隼」、「伊吹高」、「大和那由多」もその中にいる。

訓練生の多くは、田口と伊吹だろうと内心思っていた。

田口の様子は、いつもと変わらなかった。この男は、一人で宇宙に放り出されても、慌てないのだろう。アポロ11号で初めて月面に降り立ったアームストロング船長をどこか彷彿《ほうふつ》とさせた。

一方、伊吹は、すでに交代要員に選ばれたかのように自分の成績を誇示することが増えていた。

だが、ほかの訓練生たちも今日の選出をあきらめてはいなかった。
選抜基準は未公開で、自分が選ばれる可能性も全くゼロではなかったからだ。
ただ、一人の「例外」を除いて。
那由多だ。
先の単独訓練の「失敗」もあり、この選抜では、自分はダメだろうと思っていた。

「その日」の訓練を終えた後、訓練生は広間に整列して発表を待った。
訓練生6名と指導教官が揃った後、彼らの前に、上席教官が端末を持って現れた。
一同に緊張が走り、我知らず全員が姿勢を正した。
上席教官は、まず柔和な顔でEOSでの任務について簡単な訓示を行った。
その後、威儀を正して発表に移った。
「今回のEOS臨時交代要員を発表する。名前を呼ばれたものは前に出るように」
「第一位選抜者は、訓練生・田口　隼！」
最初に指名されたのは、田口だった。
田口はいつもどおり「ハイ！」と言って前へ出た。
それは誰もが納得する結果だった。
一同が拍手し、小声で「よかったな！」「頑張れ！」と声をかけた。
いよいよ、二人目の発表となった。

伊吹は「自分が選ばれる」と思っていた。

父に喜んでもらえる。結果を報告する自分の姿が思い浮かび胸がはやった。

「第二位選抜者は……」

上席教官の声を受けて、伊吹の片足が前に動いた。

だが、二人目の名は、彼らの予想に反していた。

「訓練生・大和那由多！」

（えっ？）

伊吹は我が耳を疑った。

「は？　はい！」

名前を呼ばれた那由多自身が、驚いていた。

慌てて返事をする那由多に「大和、前へ！」と指導教官が促した。

仲間の候補生たちは、拍手をしながら、那由多に驚きの視線を送っていた。

顔をこわばらせ、握った拳を震わせている伊吹の姿も、皆の目に映った。

（なぜだ……、なぜだ？）

伊吹は、納得がいかなかった。

発表が終わり、指導教官が「一同、解散！」と声をかけるや、伊吹は、退室した上席教官の後を追った。

「おい、伊吹、やめろ！」という田口の制止も聞かなかった。

宇宙でのミッションでは、決定に抗議することは許されない。伊吹の行動は、訓練生なら決してやってはならないことなのだ。

ほかの訓練生は、一斉に那由多に向かって押しかけていた。

「やったな！　那由多！」

彼らも、（自分にもチャンスを、神様……）と密かに願っていた。

そんな奇跡を間近に見た彼らには、思いがけない那由多の選抜がなぜか嬉しかったのだ。

伊吹の不規則行動によって選出を素直に喜べない那由多を、皆が代わりに背を叩いて激励していた。

廊下で上席教官に追いついた伊吹は、興奮から息を切らせて声をかけた。

「教官！」

「おお、伊吹か。どうした？」

「な……、納得できません！」

「なんだ？　選抜のことか？」

憤《いきどお》りに震える訓練生の目を、教官は静かに見据えた。

「そうです。なぜ私ではないのでしょうか？」

「伊吹、選抜の基準を教えるわけにはいかないぞ」

「ですが教官、直近の宇宙ミッション訓練の成績は、私がトップだったはずです。本来、成績上位者が選ばれるべきだと考えます」

「なるほど、そう感じたか……」

伊吹の真剣な訴えに、教官は精悍《せいかん》な顔を曇らせていた。だが、

「選抜基準が不透明です！　成績どおりに選ばれなくては、公正とは言えないのではありませんか？」

その一言に
「何だと？」とまなざしが険しくなった。

「訓練生、勘違いをするな！」

一喝《いっかつ》した後、教官は伊吹に尋ねた。

「伊吹、君たちが向かおうとしているのはどこだ？」

「はい……？」

「宇宙空間じゃないのか？」

「はい、宇宙です。だからこそ成績の優秀な者が……」

「違う！　宇宙では、学習したこともないイレギュラーな事象が起こる」

「しかし、それも訓練に……」

「そうだ。我々は、これまでの訓練データから、さまざまな不確定要素に最も臨機応変に対応できそうな人材を選び抜いた。それが、今回指名した二人なのだ」

「……」

「伊吹、おまえは優秀だ、それは間違いない。次のミッションで抜きん出ろ、以上だ」

「教官！」

歩み去る上席教官の後ろ姿を見つめながら、伊吹は立ちつくした。

さらに教官を追うわけには行かなかった。

「失礼しました。ありがとうございました……」

伊吹は上席教官の広い背中に、頭を下げた。

だが、両手の震えは収まらなかった。

EOSの任務

地上3万5000キロに浮かぶ宇宙基地EOS。

その任務は、決して宇宙でのレスキュー活動や掃除ではない。新規技術の研究・開発が本来の任務だ。EOSが行うレスキュー活動やスペースデブリ掃除は、ボランティア活動に過ぎない。ここでは重力の影響の少ない環境でしか行えない実験が実施できるからだ。

例えば冶金《やきん》であり、地上では困難な合金もEOSでは可能になる。人類はその成果として、超電導技術に欠かせない《Eメタル》という合金を手にした。また宇宙は、電気抵抗ゼロを可能にする《超電導材》の製造にも適していた。

これらは、EOSを生み出した技術が重力（重力波）をキャンセルすることで生み出す「無重量空間」の実現で初めて可能になった。この技術はEOSを所有する財団が権利を持ち、今では財団を通じて主要各国にも提供されていた。

その中には、災害対策に応用できる技術もある。

2020年代から、多くの国々を巨大な台風が襲い、その被害が目に見えて増えていた。日本も例外ではなく、列島はたびたびタイフーンの甚大な被害を受けていた。

だが、被害の最大の要因は、防災・減災への備えに対し公共投資を怠《おこた》ったことにあった。

プライマリーバランス黒字化の「絶対ルール」の中、国や自治体が災害対策予算の見直しを議論し始めていたが、その中にあって、Eアイランドでは独自に島の災害対策強化が課題となっていた。

一般にはあまり積極的に語られないが、自然災害の多くは予知できる。

台風だけでなく、地震でも、宇宙空間から地上電位の変化を衛星で観測していれば、かなり前から震源地と規模を予知することが可能なのだ。

だが、宇宙から地震を観測する対策は、残念ながら行われなかった。航空観測を主とする官庁と地上観測をルールとする官庁の対立があったからだ。

1990年代から禁が解かれ、特に2020年以降は、台風、地震などを人為的に引き起こす《気象兵器《きしょうへいき》》が、大国間で兵器として「多用」されるようになっていた。

国民たちが何も知らされないうちに、破壊能力の高い気象兵器の開発競争が進み、保有しても使えない核兵器に代わって、頻繁《ひんぱん》に「脅迫」や「攻撃」に使われていた。

気象兵器は、自然界に多大なストレスを与え、天然のサイクルにも影響を残す。

そのため、自然は「バランス」を戻すため、偏った豪雨が降ったり、自然の台風でも、「バランス」を取るために多発するという、異常事態が必ず起きる。

それが、いわゆる「異常気象」の正体なのである。

人工地震の場合は、故意に発生させるつど、度重なるインパクトが、細かな亀裂を地殻に生じさせる結果、その無数の亀裂から、自然の「バランス」による地震がさらに増加する結果となる。


2030年の「南海トラフ地震」。

日本がこの大地震に見舞われた日、Eアイランドとその周辺一帯に「空中都市」が出現し、一時は、世界中で話題となった(だが後に「事実」は、誇張されフェイクニュースとして黙殺された)。

2030年に、EアイランドとSCM企業群の複数の建造物が、空中に上昇し、津波を逃れたことは事実である。

大地震と、それに伴う津波から島を守るには、何らかの方法で、島自体を海面から離してしまえばいい。

だが、2045年現在でも「技術」はさらに「開発中」であった。

2030年に実行した「空中移動」は、不完全な状態だった。

そのときEアイランドでは、設計上は切り離せるようになっている中央区画部を、初めて分離し移動させた。周辺のSCM企業群でも、同じ機能を持つ企業のビルだけが空中に逃れた。

さらに彼らは、施設の周辺を限界出力の電磁障壁《でんじしょうへき》で防御していた。地上から移動できない居住区や農業区画を守るために、島の外周部と中央輻射装置《ちゅうおうふくしゃそうち》の間で電磁的な空間障壁を発生させ、できる範囲で侵入する海水を島外へ押しのけようとしたのだった。

その際、多くの人々が訪《おとず》れていたアミューズメントパークは、職員の誘導で、子供たちを分離可能な中央区画部に「最優先」で退避させたのだ。幼かった那由多と兄も、稀《まれ》な休日をともに過ごしていた父に伴われて、その中にいたのだった。

だが、この判断によって子供を含む多くの人命を守ったものの、強引に空中に分離させた島の地下施設は甚大な損傷を被《こうむ》った。その被害は、修復を終えるのに5年を要したほどだった。

その後、将来の防災の完璧を目指し財団と関連企業は、電磁障壁の出力強化と、島全体の分離移動計画を立案した。そのために必要な技術開発計画が、総力を挙げて進められたのだった。

今回のEOS乗員の交代には、島の防災計画の一環で、島で使う基幹部品をEOSから持ち帰る「重要任務」が含まれていた。

訓練生、田口と那由多に、その任務が予定されていた。

辞退——

EOSへの飛行が、いよいよ明日に迫っていた。

那由多は、今日も出発前の既定訓練後、自室での自由時間に超電導に関する最新の研究成果の「レポート」を見ていた。

今回のミッションに、田口と那由多が選ばれた共通の理由は、彼らの沈着さと臨機応変さにあった。

訓練生をいきなり交代要員として宇宙へ送るのは、財団にとって「リスク」があった。したがって、間違っても先任飛行士の足を引っ張るような事態だけは避けねばならない。万が一にも、訓練生の独断によってほかのクルーを危険にさらすことがあってはならないからだ。

その点、田口と那由多なら、非常時の「障害」にはならないと判断された。残念ながら伊吹は、その過剰な「自信」が仇《あだ》になったのだ。

もちろん、こうした選考理由が訓練生に知らされることはない。

ただ、那由多には、今回選ばれた特別な理由を、教官が伝えていた。

その理由とは、彼が大学院で「複合超電導材料《ふくごうちょうでんどうざいりょう》」の論文を書いていたことだ。

選抜後、那由多は教官から個別に任務の説明を受けた。

その際、「君の超電導冶金に関する知識を活用したい。現在ＥＯＳ研究陣は、複合材に試作段階で成功している。だが次の量産化が課題となっている」と言われていた。

彼は、手もとの論文に目を通しながら、教官が口にした「複合材」「量産化」というフレーズに、一人ニヤリとした。

田口が、「今回の任務を下りることにした」と那由多に連絡してきたのは、その直後だった。

「どうしたんですか？」と驚いて問い返すと、

「過度の緊張だろう、胃がやられたらしいんだ。面目ない」

「搭乗前の検査まで、待てないんですか？」

「いや、こうして話している今もかなりシンドいんだ。すでに教官にも申し出て、搭乗を辞退することにした」

激しい胃痛に耐えられず、医務室で調べてもらった。消化管全体の内壁から出血が見られるという。

「わかりました。……残念です。あなたと宇宙に行けなくて……」

「すまんな、那由多。……すまん……」

田口の無念さは痛いほど伝わってきた。だが那由多には、あの田口が身体を壊すほど緊張するとは、どうしても解《げ》せなかった。

宇宙基地へ――

田口の代わりには、伊吹が急遽《きゅうきょ》指名された。

宇宙基地ＥＯＳへ向かう当日――。

搭乗前の最終身体検査で顔を合わせた那由多は、緊張した面持ちの伊吹に、

「急だったから、準備が大変だったろう？」とねぎらいの声をかけた。

伊吹は肩をすくめると、

「別にどうってことないさ。だいたい、おまえよりもまず俺が選ばれるべきだったんだからな」

と強がった。

那由多は、相変わらずだな、と応じ、

「お互いに、田口さんと一緒に宇宙へ行きたかったな」と言った。

伊吹は、今度は無言で、先に検査室へ入っていった。


その後、二人は、先輩飛行士らの後に従って宇宙機に乗り込んだ。10人乗りの連絡機。これまで搭乗したことがある、どの機体よりも大型だ。

重力機の航行原理は、ロケットエンジンに頼る宇宙船と異なる。地球を離れる際のG《ジー》（重力加速度）に備える訓練は必要ない。飛行士たちは、機内に入ると、円卓を囲むように、順番に自分の座席に着いていく。

飛行に際し、最新の重力機は厳重な宇宙服を着用する必要もない。だが、彼らは万一の場合に備えて、ＪＡＸＡ仕様の船内服に身を包んでいた。

宇宙服を着込んだ那由多と伊吹も、高揚感に身震いしながら席に着いた。

訓練生の二人には、この飛行に際して宛《あて》がわれた任務はまだ知らされていない。

だが、コマンダーからは、すべてを観察し、記憶することが最初のミッションだと説明された。

「重力機で移動する感覚は、すでに身体でわかっていると思う。だが、これから我々が行く空間は、君たちにとって初めて経験する世界だ。後から子供たちにも語ってやれるように、全身の感覚をさらに働かせるといい」

座席には、機外を存分に観測できるモニターがある。だが、那由多の席は、これから離れていく地球を直接目視できる「窓」も足下に設けられている。こうした席を割り振られるのが、初飛行に臨む飛行士を歓迎する慣例だった。

カウントダウンが始まった。

これも、重力機の出発時に不可欠なプロセスではないが、ミッションの発動に向けて、地上の指揮所と船内の意思を統一する意味で踏襲されている。

離陸した重力機は、原理的には地球から「反発」され「宇宙」へと移動する。

機内の飛行士の身体に大きな「負荷」がかかることもない。

だが彼らは、3万5000キロを一気に昇るのではなく、高速のエレベーターが途中で何度か停止するように、EOSを目指す。規定されたいくつかの高度で宇宙環境を観測し、時々のデータを採《と》る任務もあるが、初めての搭乗員に対し「宇宙」を実際に味わう経験をさせるためのものだった。

カウントダウンが済み、船長《コマンダー》が地上の管制員に「出発します！」と連絡した次の瞬間には、彼らはすでに地上500キロの宇宙空間に移動していた。

宇宙に躍り出た彼らに、地上から「よい旅を！」と恒例の挨拶が送られてきた。

その移動速度に、那由多は「すごい！」と息を飲んだ。

足もとの窓の向こうは、一瞬にして地球の遠景に変わっている。訓練のときから想像はしていたが、そんなレベルの驚きではなかった。

その高度から見る地球の姿は、かつてのＩＳＳ《アイエスエス》（国際宇宙ステーション）などが送ってきた映像とほぼ同じで、初めて見るという感覚はない。だが全身の体感として、それまで昇ったことのあるカーマンラインの下とは圧倒的な違いがあった。

那由多は思った。

「ここは、もう大気圏の外だ……」

身体ではわからないが、何度かの移動を繰り返し、ようやく地球外周を一望できる高度に上がったとき、連絡機はすでにＥＯＳの間近まで迫っていた。

その頃、那由多には「宇宙の音」が聴こえ始めていた。

それは、壮麗な音楽のようでもあり、幼い頃に聞いた子守唄のようでもある。そして、鼓膜を通して音が聞こえてくるというよりは、自分の心に宇宙の意思が共鳴しているような感覚だった。

それまでに訓練で昇った高度でも、漆黒の宇宙の深遠さや、地球が丸いことははっきりと感じた。だが、宇宙が「聴こえてきた」ことはなかった。

（ほかの人はどうなのだろう？）

見回すと、先輩クルーの一人と目が合った。

その口は動いていなかったが、那由多は

「驚いたかい？　宇宙はいいところだろう？」と声をかけられたように感じた。

そして、彼だけでなく、ほかの飛行士たちの姿も、まるで「天使」のように見えた。

那由多は、その神秘的な感覚に圧倒され、少し前にアマネへ宛てたメッセージを思い出していた。重技2級のライセンスを取った直後、高揚した気持ちをそのまま綴《つづ》ったメッセージだった。

だが、今あらためて自分の小ささと、宇宙の大きさを感じていた。

そのとき、ちょっとした違和感が那由多の心臓をつかんだ。

彼の正面で、先輩クルーの間に座っている伊吹が、こちらを見ていた。

その表情に、決して愉快ではない圧迫感を覚えて、那由多は不思議に思った。

(彼は緊張しているんだろうか？)

気になって、地上でのやりとりを思い返していたとき、ようやく伊吹が頬を緩めて、「おい那由多、やっぱり来れてよかったな」と、レシーバに声を送ってきた。

「そうだね。頑張ろうな」と返事をしながら、

(どうやら俺のほうが緊張しているらしい)

そう那由多は思った。

出発間際、相手に少し嫌味《いやみ》を言われていたぐらいで、気後れするような彼ではない。気を取り直すと、全身で宇宙のメッセージを受け取ろうと、ゆっくり身体の力を抜いた。

5章

ギャップ――島の「常識」？

アクセス権

翌日、河合医師は、少し遅い時間に三井の病室を訪れた。回診ではなかった。

今回は、施設を案内するため三井を迎えに来たのだ。

同時に彼女は小さな機械を携《たずさ》えていた。

彼女は部屋に入ると、三井の前で機械のキャリブレーション（調整）を行い、その上に手をかざすよう促した。それは、少し前によく使われた静脈リーダーのような装置だった。

「これでいいわ」と顔を上げた河合に、

「なんだか悪いことをして指紋を採られたような気分だな……」と軽口をたたくと、

「何かの認証システムなのか？」と三井は尋ねた。

「まぁ、そんなモノよ」

釈然《しゃくぜん》としない顔を見て、女医は説明した。

「昨日、あなたの想念波形のパターンが島のデータベースに登録されているって言ったでしょ。これが、その《登録用》端末なの」

個人ごとに特有の思念パターンを読み取るための装置だという。

「しかし、血管を写すわけでもないのに、どうして手をかざすんだ？　それに、もう俺の思念パターンは採取済みなんだろう？」

立て続けに問いかける三井に、河合はまず、

「人体にとって、手の指はアンテナみたいなものなのよ」と答えた。

説明を聞いても、三井にはさっぱりわからない。狐《きつね》につままれたようだ。

「それとね、今のは、施設へのあなたのアクセス権レベルを上げる手続きなの」

この島は、基本的に研究開発機関である。機密性の高い施設が多いため、職員や住民にもクリアランス（アクセス手続き）のレベルがあるのだという。

そこで、クリアランスレベルが上がると、登録済みの思念パターンに、さらに上位のレベルを付与してデータ更新するのだ。

「俺は、どのぐらいのレベルなんだ？」

「レベル1。『見学者』……といったところかしら。私と一緒なら、許可された場所に立ち入りできるけど、一般市民のように自由な行動はまだできないの」

「監視付きってことか……」

三井は、不満げにため息をついて見せた。その実、この女医が常に同行するという処遇に悪い気はしていない。

「で、監視付きなら何でも取材させてくれるのか？」

「島のすべてを見せる権限は私にもないの。まあ、どこまで見学できるかは、今後のあなたの行動しだいね」

「ふーん……。要するに、どうすればいいって言うんだ？」

「許可されていない場所に近づかないこと。それから、見学中、機密情報に接した場合は、たとえこの島の中でも他人に口外しないこと。わかった？」

「ああ、まあな……」

「いいこと、勝手にあちこち行かないでよ」

「逮捕でもされるってか（笑）」

「私が責任を取らされるからよ」

厳しい目つきでにらまれ、「はいはい」と肩をすくめる三井だった。

街――

見学者としてのクリアランスを許可された三井は、河合とともに外に出た。

あらためて案内された街は、未明に建物を抜け出したときとは異なり、多くの人が行き交《か》う活気を見せていた。

整備された道を歩きながら、三井は思わず声を上げた。

「何だ、あれは？」

道の上の、地上6メートルほどの空中を、連節バスのようなものがゆっくりと飛んでいる。

「島の公共移動システム――トラムよ」

三井が見た《トラム》は、空中を見えない軌道に沿ってモノレールのように、滑《なめ》らかに移動していた。

立ち止まって眺めていると、ビルの3階辺りにある乗降場で、人の乗り降りする姿が見えた。ビルとビルをつなぐバスのように運航しているらしい。

しかし、その乗り物が走るレールどころか、ロープらしいものも見えない。

「なんで空中に浮いてるんだ？」

「重力制御《じゅうりょくせいぎょ》よ」

そう、得意げに女医は言った。

「ここでは、動力の基礎技術に重力制御が使われているの」

「ナニ？　そんなのマンガの世界じゃないのか？」

「信じられない？　でも、現にあなたの上を動いてるでしょ」

三井の目が、いたずらを企《たくら》む少年のように輝きだした。

「なあ、ビルに入れば、あの空中バスに乗れるのか？」

「乗降設備のあるビルならばね。それから……、あそこに低い塔のようなものが見えるでしょ？　あれも乗降場よ」

言われたほうを見ると、近くのビルがない一画の道の脇に、エレベーターのような小さな建物がある。

三井は、すぐさまその建物に向かって走り出した。

「あっ、こら！」と女医が追ってくる。

エレベーターの前に立った彼は、息を切らしながら操作ボタンを探した。

だが、それらしいものはない。戸惑っているところに、河合が息を整えながら、ゆっくり歩いて寄ってきた。

「乗りたいの？」

「ああ、どうすればいいんだ？」

「島の住民なら、そこに立つだけでエレベーターのドアが開くわ」

「それなら、なぜ今は反応しないんだ？」

「あなたには、まだトラムに乗る資格がないからよ」

そして、あきれ顔で三井を叱りつけた。

「勝手な行動はダメって言ったじゃない！　ホントに子供みたいなんだから」

島の食糧源

その後、三井はおとなしく河合の指示に従い、彼女が借り出した《一人乗り》の乗り物で、農業施設の見学に向かった。その乗り物を見て、三井は少し嬉しそうだった。この乗り物も、わずかだが地上から浮いて移動するからだ。

「昨日食べたお肉の素《もと》を見に行くのよ！」

何かと自分を子供扱いするが、並んで移動する彼女は、なぜか快活な少女のように三井には思えた。

移動しながら周囲を見ていると、島の住民が同じ乗り物に乗っている姿も多く見られた。河合によれば、移動手段としては、トラムに乗るよりもこの乗り物を使うことが多いという。

「あそこが、植物栽培のための区画よ！」

彼女が目的地を指したので、

「よし、競争だ！」と三井はいきなり速度を上げた。

操作が、船に似ていて彼にも簡単だったのだ。

女医の悲鳴が後を追ってくる。トラムには乗れなかったが、これはこれで、まあ楽しい…。そう思った。

そこは、一見、巨大な「温室」に見える建物で、大きさは体育館ほどもあった。

河合が、入口の認証ボックスにタッチして中に入ると、色とりどりの植物が、文字どおり「山」のように育っていた。植物ごとに、何層もの高い棚状に栽培されているようだ。

その四方が、外光をふんだんに取り入れる頑丈なガラスの壁で囲まれていた。

「へぇ、水耕栽培か……。ここで何を育ててるんだ?」

「こういう建物で野菜が80種類ぐらい育てられているわ。ほかにはキノコなんかもね」

「ふ～ん……」

「俺は、実は、野菜は苦手なんだけどな……」

緑に輝く植物の山に、目を細めながら三井は言った。

「ま、でも、昨日の《肉》は、美味かった……」

「ふふ……」

河合の思い出し笑いに、三井も照れながら、

「今日はコッテリ系を喰わせてもらえるんだよな。それも、こういう材料で作るのか?」

「そうよ。おおむね、魚介類以外はね」

「魚は食べるのか?」

チラリと巨大魚のことを思い出しながら、三井は尋ねた。

河合は、巨大魚には言及しなかったが、島の食料についてあらためて説明した。

ここでは、見かけや味が肉そのものの料理も、ほとんど植物由来だが、例外は海産物で、魚

も貝も普通に食べられている。

ただし、このように効率のよい水耕栽培を行っていても、島の土地では収穫に限りがある。海を渡って陸に上がると、島と契約している本土の《地下農場《ちかのうじょう》》が多数、周辺の地域に散在しているというのだった。

「地下農場？　地下で作物が育つのかよ？」

「ええ。地下に光を引き込む技術があるし。それに、ここには太陽の光よりも植物に有用な光源だってあるのよ」

空飛ぶゴーカート

農業施設から、同じ乗り物で街へ戻る際に、三井は、そこが島の「中心」なのだと、あらためて認識した。

遠目に見る街は、大きな円を描くように建物が並んでいた。

診療所に戻るものだと思っていると、河合は、自分の診療所から見て、街の反対側にある大きな建物に三井を導いた。

「次は、ちょっとしたアトラクションを見せるわね」

やはり認証ボックスにタッチして中に入ると、そこは「遊園地」の入口のような造りになっていた。

河合は、受付の係に、見学者を案内している旨を伝えると、

「少し待っててね」と三井に告げた。

室内を見渡すと、島の住民と思しき子供どうしや親子連れが、のんびりと椅子に座っている。何かの順番を待っているようだった。

「どうぞ」

受付の男について敷地内に進んでいくと、そこは、広場だった。

そして、

「おっ！」と三井は思わず声を上げた。

広場の上に、子供たちを乗せたゴーカートのような乗り物が、何機か「浮遊」していたからだ。モーター音などは一切聞こえない。上昇、下降するカート上の子供が上げる歓声と、見守る大人たちの声が響いているだけだ。

「あれは、空中バスみたいな乗り物だな？」

すでにトラムを目にしていたこともあって、今度は三井も理解が早い。

「そうよ。ただ、乗り物というよりは、重力コントロールを体験するための遊具ね」

彼らを乗せた「乗り物」は、文字どおり、静かに宙を舞っていた。

その様子を眺めながら、三井は「あは……」と笑った。

子供向けの施設だと思いきや、中にはカートに乗っている大人の姿があったからだ。彼は、

楽しそうな子供たちの中で、一人ひきつったような表情を見せていた。

「島の子供は、こんなふうにして動力の扱いに慣れながら成長するのよ。おもしろいでしょ？」

「たしかに……、大人になってからだと、ギャップがでかいんだろうな」

説明を聞く三井は、カート上の大人の様子を見続けているうちに、自分もつられて顔をひきつらせていた。

遊具を眺めるうちに、三井は、この街の構造にも気づいていた。

「それにしても、島の中心が空き地になっていたとはね……」

子供たちがカートに乗っている広場は、周囲の建物にドーナツ状に取り囲まれ、中庭のような構造になっている。

「そうよ。島の公共性の高い施設は、すべてこの周りの建物の中にあるの」

「ああ、そうらしいな。しかしさ……、島のど真ん中の広い空間を、子供の遊び場にしておいてはもったいないんじゃないか？」

「その理由は、今にわかるわ」

「なんだよ、もったいぶるなよ」

「今のあなたのクリアランスレベルでは、見せられないものがたくさんあるの。じゃあ、そろそろ行くわよ」

三井は不服そうな顔をしたが、河合が
「コッテリ系のレストランにね！」と言うと、すぐに機嫌がよくなった。

テクニカルギャップ

食後、三井は新しい部屋に案内された。それまでの病室を出て、「ゲストルーム」で過ごすことになったためだ。

新しい部屋は、特に変わったところも見られない、気の利いたビジネスホテルの客室のような作りだった。

入り口の脇に、広めのユニットバスルームがあり、ごく当たり前のトイレがあった。

食事に満足しきっている三井は、

「部屋の使い方を、いちおう説明するわね」と言う河合を、

「いや、いい。部屋の使い方ぐらい自分でわかるから」とさえぎった。

「でも、ここの設備は……」

「いいって、いいって。今日もご馳走になったな。サンキュー！」

上機嫌である。

河合は、「そう？　じゃあ、何かあったら、そのリストミッターで訊いてね」と言うと、（大丈夫かしら）と言いたげに、首をかしげた。

三井はかまわず、「ああ、これだな！」と、女医から渡されたばかりのリストバンド型の通話装置をたたいて見せた。

「じゃあな！」

「じゃあ、また明日ね。おやすみなさい」

「ありがとうな！」

一人になった三井は、解放感と好奇心に動かされるまま、部屋の中を端から端まで見渡した。

保冷庫、電動歯ブラシ、電動シェーバー、電気ドライヤー、電気コーヒーポット、電気スタンド……

生活に必要そうな、ひととおりの用具は揃っていた。

だが……、メディアモニターは見当たらなかった。それに、

「何だ、この部屋。コンセント類が全然ないな」

壁には、電気を取るコンセントらしいものも見当たらなかった。

「全部、充電式なのか？」

目の前の道具は、どれも軽くできていて、バッテリーの重みは感じない。だが、試《ため》しに操作してみると、いずれも動作に支障はなかった。

三井は無意識にあごに触って、ヒゲが伸びていることに気がついた。

早速バスルームに行って、シェーバーを手に取った。

そこであらためて気づくと、壁には灯《あか》りやエアコンなどのスイッチもないのだった。

「不思議な部屋だな……」

いったんバスルームを出て窓外に目をやると、いつの間にか陽は落ちて、空が暗くなっていた。

だが、入室したときから明るさも温度も快適だった。

この部屋はデフォルトで、自動的に灯りがつくようになっているらしい。

とはいえ、天井を見渡しても光源らしきものはなかった。強いて言えば、天井全体が光を発しているのだった。

シェーバーのスイッチを確認して、あごに当てると、その回転刃は実によく切れた。顔に押し付けずとも、ほとんど抵抗なく硬いヒゲが刈れていく。

「こりゃ、快適だ」

感心した三井がメーカー名を確かめると、軽い筐体《きょうたい》のどこにも、企業やブランドは書かれていなかった。

ネットで調べてみようと思ったが、河合に借りていたタブレットは病室に置いてきてしまった。そのうえ、部屋のどこにモニターがあるかわからない。

（音声指示方式か？）

思い立ったらすぐに試してみるのが三井だ。

「モニター！」

すると、微《かす》かにプーンと音がして、一角の壁に80インチほどのモニターが現れた。

「いいホテルだねえ」

三井は気をよくしてニヤッとした。そして、

「産経メディア！」

と愛用のニュースサイトを表示させた。

部屋の使い方にも慣れたと思いながら、ニュースを見ていると、腕の端末が小刻みに振動した。

河合からだ。

気がついて応答しようとしたが、あいにく使い方を聞いていなかった。スイッチらしいものもない。

焦った三井が、

「はい！」と返事をすると、なぜかつながった。

しかも、それは彼が慣れているような受像機ではなかった。リストミッターの上に小さな光をたたえた空間が浮かび上がり、半立体状に河合の顔が現れた。

「ウワッ！」と三井は、思わずその顔を振り払おうとしてしまい、慌てて冷静そうに取り繕《つくろ》うと、

「どうした？　何か用か？」

用件を尋ねた。

「部屋はどう？　何か足りないものはないかしら？」

「今のところはな、ただ……」

「ただ何？」

「うん、酒が欲しいな、なんて」

半立体の河合の顔が揺れた。

「それは我慢して。まだ怪我人なんだから」と笑っている。

「おいおい、もう身体はなんでもないぜ！」

「はいはい。では、じっくりと検討させていただきます」

「少し飲むぐらいいいだろうよ！」

言い返しながら、大事なことを思い出した。

「あっ！　それからな、原稿を書けるPCのような端末が欲しい。何か貸してもらえないか？」

「あ、そうだったわね……」

河合も、気づかなくてごめんなさいと言いながら、

「それは、お酒よりも優先よね？」

と意地悪そうに尋ね、三井が返答に詰まっているうちに
「では、また明日！」と明るく言って、消滅した。

「ふん」

三井はベッドに倒れ込んだ。

だが、すぐに、壁に組み込まれた保冷庫の中をのぞいてみた。

案の上、水とジュース類が並んでいるだけだった。

6章 無限循環エネルギー――島の電力システム

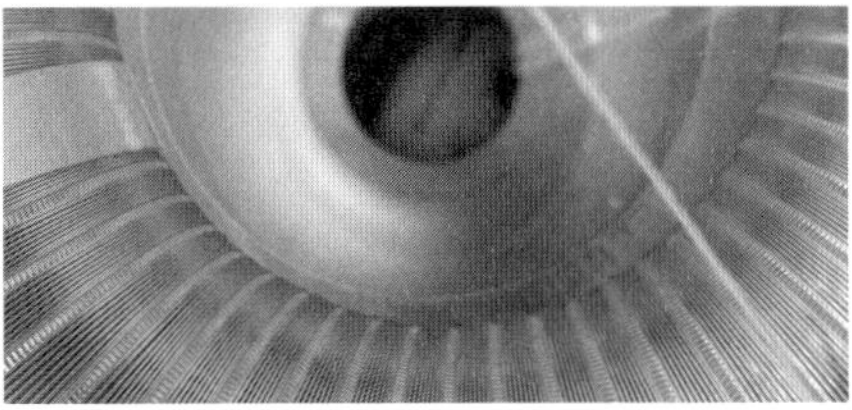

ノンバッテリー

翌日、見学を続けるため女医と合流した。

「昨日はよく眠れた？　何も不便なことはなかったかしら？」

のぞき込んでくるまなざしには、三井をからかうような色もうかがえる。

彼は目を逸《そ》らすと、「ああ、よく寝たよ」と答えた。

快適に眠れたことは事実だ。

「普通のホテルとは勝手がだいぶ違うけどな……。でもまあ、快適には違いない」

多少見栄を張りながら言うと、

「それはよかったわ」と、河合はすまし顔であの『思念リーダー』を準備した。

「じゃあ手を貸して。今日の見学の前にクリアランスレベルを少し上げるから」

「おっ、何か機密事項を取材させてくれるのか？」

素直に装置に手をかざしながら尋ねると、

「そんなご大層なものは見せないわ。中核《ちゅうかく》エネルギー施設の中まで入るからよ」と河合。

「ふーん……。ということは島民待遇か？」

「いいえ、これで許可されるのは見学者レベルの上位オプションよ」

「ちぇ、なんだ……」

「中核施設に入るには、島民だって、そのつど許可が要るの。それと、入れるのは見学室までだから、勝手な行動は慎《つつし》んでね」

エネルギー施設と聞いて、三井は、昨晩から疑問に感じていたことを口にした。

「そういえば、ちょっと教えてもらえないかな……。ここでは、電気器具のバッテリーはどうなってるんだ？」

「バッテリー？」

「うん、俺が使わせてもらっている部屋のヒゲ剃《そ》りとかさ……」

「何か不便があったの？」

「いやいや、使い心地はいいんだけどな……、充電式にしては、やけに軽いじゃないか。あと保冷庫なんかにも、電源プラグやコンセントがないだろう？」

「ああ、そうよね……」

「ここの機械の電源はどうなってるんだ。バッテリーは？」

河合はあっさり「バッテリーやコンセントはないわね」と言う。

「何？　しかし、電源がないわけはないだろう？」

「もちろんよ。電源がないのではなくて、従来のバッテリーやコンセントに当たるものはないの」

「どういうこと？」

「ここは島だから、自然界の電気を特に利用しやすいのよ」

全くわからない。

「これから中核エネルギー施設の説明を受けるから、それでもわからなかったら、あらためて説明するわ」

女医は、そう言うと、腑《ふ》に落ちない顔の三井を伴って部屋を出た。認証ボックスの付いた扉を入って施設の奥へ進み、さらに認証ボックス付きのエレベーターに乗った。

行く先は、施設の地下深くにあった。

自励発電システム

ここは、施設の中央部の地下にある「中央エネルギー階層」だと河合が言った。

島の中核エネルギー施設であり、大規模な自励発電《じれいはつでん》システムを擁《よう》している。外部からの干《かん》渉《しょう》や侵入を許さないように、地下深くに設置されている。

「だから、勝手な行動は厳禁ですからね」と女医は念を押した。

見学室に入ると、彼らは作業服を着た一人の研究者に迎えられた。

「ようこそ、三井さん。私はここのエネルギーシステムのエンジニアです」

彼が、大気中から電気を得ているこの島のシステムを説明してくれるという。

「私が説明するよりも信じられるでしょ？」と河合に言われ、

「まあな……」と三井は生返事。だが、頭はすでに取材モードに切り替わっていた。

「今たしか、大気中から電気を得るって言いましたよね？　いったいどんなしくみなんですか？　そもそも、それで街一つを動かすエネルギーが賄《まかな》えるんですか？」

さっそく技術者に畳みかけていく。

三井よりかなり若そうなエンジニアは、人なつこそうに笑うと、説明を始めた。

「従来の社会インフラとしての電力は、光起電力《こうきでんりょく》を用いるシステムを除けば、基本的に発電機のタービンを回して作られています。火力発電だけでなく、原子力発電も例外ではありませんね」

「ええ、わかります」

「しかし、自然界にはマイナスイオンや静電気の形でもともと電気が存在しています。三井さんは、雷の電気を利用できたら……なんて思ったことはありませんか？」

「そうか。だから島なのか……」

三井は、ここに来る前の河合の言葉を思い出して、独りごちた。

河合が（意外と勘がいいのね）といった表情で、その横顔に視線を送った。

三井の返事がなかったので、エンジニアはふと説明を止め、

「どうかしましたか?」と尋ねた。

「いや、なんでもない。先を続けてください」と三井は促す。

「わかりました。例えばですが、雷のエネルギーをそのまま電気に変換できれば、仮に1億ボルト、20万アンペアだとして200億キロワット。それだけで首都・東京の電力需要の1年分以上に相当します。自然界にも、それほどの電気が存在するという一例です」

「なるほど……。しかし、ここの発電のしくみは、悠長に雷の発生を待つようなシステムではありませんよね?」と三井。

「そうです。なぜわかりました?」とエンジニア。

「いや、大気中から電気を得ると言ったのはあなたです。だとすれば、その素は海から発生する水蒸気だろうと、単純に思っただけですよ」

三井が直感したとおり、島の電気は水分子から取り出されていた。

大気中の水蒸気は電気的に中性のように思われているが、実際には一部が電荷を帯びている。

そして、水滴から電気が発生する自然現象も昔から知られてきた。

そのひとつが雷で、これは急激に発達した雲（水蒸気や水滴の集まり）の中に静電気が発生

し、帯電した雷雲から一気に放電される現象だ。

だが、雲の中に限らず、太陽光によって生じるイオンは常に大気中に電場（大気電場《たいきでんば》）を発生させている。その低圧の静電気を回収して電力として利用する「大気電流発電《たいきでんりゅうはつでん》」なども、昔から研究されてきた経緯があった。

「そういう理屈から推すと、湿度の高い海岸線は、恰好《かっこう》の天然発電所になる。そう思ったのですが？」と三井。

「ええ、よくご存じなんですね！」

ベテランジャーナリストの知識に正直に敬意を表してから、快活そうな技術者は続けた。

「おっしゃるとおり、この島の一次発電システムは、海の大気を装置内に循環させ、そこから取り出した電子を集めるものです。しかしそれだけでは……」

「大電力にはなりませんね」と三井。

「そのとおりです。実は、この中央エネルギー階層は、大気中から分離した電子を集める一次発電システムと、その電子を超電導回路《ちょうでんどうかいろ》に循環させ、大電力に増幅《ぞうふく》する二次発電システムからできているのです」

「なるほど……」

電導性の高い合金を薄膜《はくまく》状に加工し、幾重にも重ね合わせた精緻《せいち》な構造体。それが、常温超電導を可能にすることは、この時代、広く知られている。

Ｅメタルの薄膜構造体は、電気抵抗（陽イオンによる電子の流れへの干渉）がほぼゼロになるため、回路に電気を流すと、その電子の流れがどんどん加速していく。そして、導線内に生じた電子の隙間に、回路の外部から熱や光のエネルギーが引き込まれる。それによって、電気を流すほど電流・電圧が増幅していくのだ。

使えば使うほど増える電気エネルギー。電気を使うと同時に生じる吸熱・冷却効果。それが超電導技術の特徴だ。

ＳＣＭ企業群がさまざまな産業分野に応用している超電導構造体は、21世紀の中頃には、世界最先端のＩＴ基幹技術となっていくだろう。

しかし、その製造技術はＳＣＭ企業群など財団との提携組織以外には公開されていない。実はこの技術こそが、人工的に重力場を発生させて地球の重力をキャンセルする「重力制御」にも不可欠のテクノロジーなのだった。

警報——

三井は、発電設備を見せてもらえないか、とダメ元で訊いてみた。

エンジニアはリストミッターで上司に相談し、設備そのものは見せられないが、後でシステムの概要図を見せると言ってくれた。

「ところで、ここで作った電気は、どうやって島内に送られているんです？　地下ケーブルか何かですか？」

「いえ、それでは電気が消耗してしまうので、無線送電です。隣接している中央輻射装置から〝クーロン輻射《ふくしゃ》〟します」

「クーロン輻射、なるほど、テスラ・タワーみたいな送電設備ですね」

「ええ。それにしても詳しいんですね」とエンジニア。河合も今日は、素直に感心したような表情を見せている。

「ただし、大電力を供給できるここの自励発電システム以外に、島内の住宅や居住区にも、個別に小規模の発電システムが構築されています。仮に中央からの電力供給がストップしても、島の生活への影響はほとんどありません」


エンジニアの説明がそこまで進んだところで、

「ねぇ、何か変じゃない?」と河合が口を挟《はさ》んだ。

「なんだよ。せっかくいい取材ができてるのに……」と三井が文句を言うのと同時に、部屋の灯りが、明滅を始め、突然消えた――。

地下の見学室内は、暗闇になった。

そして、数秒後――。

非常電源が起動したのだろう、非常照明が点灯した。

同時に、施設内にアラームが鳴り響き始めた。

「何があったんだ?」と三井。

「わかりません。通信システムもダウンしています」

リストミッターで上司に連絡を取ろうとしたエンジニアが答えた。そして、

「様子を確かめてきますから、ここで待っていてください。ここならば、もし何かあっても安全ですから」

「わかったわ！」

河合が答えると、若い技術者は小走りに出ていった。


非常照明と警報ブザーの中で、三井は河合と取り残された。

「おかげさまで、ここのしくみが、俺にもだいたいわかってきたよ！」

「あら、もう？」と河合。

「俺もジャーナリストのはしくれだからねぇ！」

警報のせいで声が怒鳴り声になっていることに気づいた三井は、少しトーンを抑えて続けた。

「昨日使ったシェーバー。軽かっただけじゃなく、ひんやりとした感触があったよ。ここの電気は蓄《たくわ》えて使うわけじゃない。だから、バッテリーがないんだな」

「よくできました。小さな電気器具にも超電導技術が利用されているから、必要なときに必要なだけ電気を取り入れて動いているの」

エンジニアが戻ってこないので、間をつなぐため河合が説明を続けた。

「2020年代に、この島を建設するきっかけになった技術がほぼ完成してね、基幹技術に応

用され始めたの」
「そんなに早かったの？」

「そう。でも、技術の優位性にかかわらず、大多数の企業には採用されなかった……。理由はわかる？」

と彼女は、横に座っている三井を見た。

警報の中、灯りに照らされている女医の顔を見返して、三井はキャンプ場で焚火《たきび》に向かっているような気がした。

「わかるさ。当時は石油が経済の中心。企業が再生可能エネルギーだのサスティナブルだのと言っても、全然マジじゃなかった。メジャーのビジネスにとって障害になる技術は、普及を邪魔され、潰《つぶ》されて終わりといったところだ」

女医はうなずくと、続けた。

「優れた技術だから普及するとは限らない。それが科学の歴史よね。それで財団は、会員企業用の技術として、ここで実用化を進めることにしたわけ」

「自分たちだけの技術としてか？」

「いえ、真意はそこにあるわけじゃない。世界のすべての人に使ってもらえる未来に向けて、残したいのよ」

「来《きた》るべき時代のために……か」

三井は、そうつぶやいて、ふと笑った。

自分にも、そんなことを考えていた頃があったような気がする。妻や娘の将来、自分もともにいる未来を真剣に考えていた時代……。

ふと河合が言った。

「ねえ、三井さん。私たち大人の仕事って何だと思う?」

「金を稼ぐことかな?」

三井は、娘への仕送りを想って答えた。

「違うわ、何言ってるの?」と笑い飛ばした後、

「夢をかなえて見せることよ!」と女医は人差し指を立てて言った。

三井は軽口をたたこうとして、やめた。河合が真剣な顔をしていたからだ。

「私たち大人の仕事は一つだけ。子供たちに、大人になりたいって思われるような人になることよ。それが、この島の基本ポリシーなの。覚えておいて」

再び拘束――

なかなかエンジニアが戻ってこないので、今度は河合が言った。

「しかたないわね。あなたはここにいて。私、状況を聞いてくるから」

「ああ……」

三井を見学室に残して、河合も足早に出ていった。

残された三井は、しばらくじっと座っていたが、生来の好奇心が頭をもたげて、見学室の外をのぞきたくなった。

室内をうろうろと歩き回ったがやはり落ち着かず、そっとドアを開けると、キョロキョロ廊下の向こうを見渡した。

「こんな状況で、ジャーナリストにジッとしてろって……無理だろぅ?」

少し河合に悪い気はした。だが、好奇心には勝てなかった。三井は部屋を後にした。そして、エンジニアと河合が向かったと思う方向と、逆の方向へ足早に進み始めた。

行き交う職員に出会うたびに、内心ひやひやした。もっともらしく会釈《えしゃく》しながら、廊下伝いに歩いていく。

すると、壁の「フロアマップ」に目が留《と》まった。

「え〜と。動力室は……地下8階か。かなり下だな」

職員が壁の非常扉を開けて入っていくのを見て、三井も、「隠し扉」らしい場所に近づくと、すぐにドアが開いた。

「おお、開いたよ……」

半ば驚きながら扉を閉め、上下へ伸びる階段を下へと向かって降り始めた。

運動不足の身体から流れる汗をぬぐいながら、ようやく地下8階に着いた。

中に入れないかと、ドアの認証ボックスに手を近づけた途端、赤い表示が出た。

――警告！

続いて「アクセス権がありません」

重要施設の中央動力室に、今のクリアランスレベルで入れるわけがない。

さらに下の階層もあるはずだが、非常階段はそこまでで終わっていた。

「しかたない……」

三井は元来た階段を戻り、一つ上の階へと向かった。

地下7階のドアに近づき、恐る恐る認証ボックスに触れると、今度はドアが開いた。

ほっとしながら中に入ると、円筒形らしい真ん中の部屋の周囲を、ぐるりと通路が囲む構造になっている。

通路沿いに進めば、また同じ場所に戻ってくるのだろう。

中の通路に足を踏み入れると、急に照明が点灯した。

足音を忍ばせながら、壁に沿って歩いて行く。

内側の部屋の壁には、中をのぞける窓はなく、部屋の目的を示すマークがいくつか記されていた。いずれも「資材置き場」のようなマークだった。

「ん？」

突然、行く手の部屋のドアが内側から開いた。

驚いた三井が、とっさに身を壁につけ目をやると、防護服を着た男が、辺りをうかがいながら一人で出てきた。顔はよく見えない。

急いで男から見えないところまで下がり、観察を続けた。

男は、慎重にドアを閉め、さらに周囲を確認すると、急ぎ足でその場を離れていった。計測装置のような四角い箱を大事そうに抱えていた。

男が出て行った後、三井は彼が出てきた部屋のドアのマークを見に行った。

そこには、二人の人間が並んだような記号が描かれていた。

「何のマークなんだ、これは？」

そう思った刹那《せつな》、駆け寄ってくる大勢の足音が聞こえた。

三井は、あっという間に5、6人の男に囲まれていた。

見覚えのある、施設保安員の制服だった。

「おまえ、ここで何をしている？」

「いや、勘違いするな、俺はただ……」

「連行しろ！」

リーダー格らしい男の命令で、三井はほかの保安員二人に腕を拘束《こうそく》され、そのまま上階の保安課へと連行された。

「ま、待ってくれ……。俺は何も……」

7章 交叉――見えざる不審者

島へ戻った二人

再び時をさかのぼる――。

三井茂がクリアランスを許可され、島の施設の見学を始めるよりも少し前のこと。

訓練生から選ばれて宇宙基地EOSに行った大和那由多と伊吹高は、すでに島に戻されていた。

宇宙から地上への帰途は、先輩飛行士が操《あやつ》る小型重力機で、あっという間に戻ってきた。

帰還した那由多と伊吹は、降機準備をしながらため息をついた。

二人は、点検のため格納庫へ入っていく機体を見送った。

「なぁ伊吹、3万5000キロも上から、一瞬で舞い戻ってきたな」

「そうだな、あっけないぐらいだ」

重力機は、大電圧を利用して人工重力場を機体周囲に発生させ、目的とする天体の重力場と

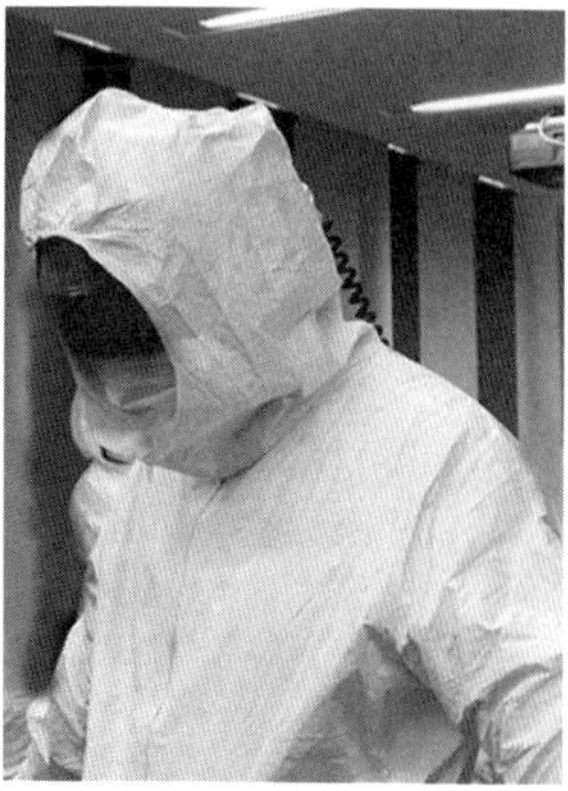

「共振《きょうしん》」を起こすことで安全に合理的に移動する。それによって、ロケットエンジン時代では実現できなかった宇宙空間での高速移動を可能としていた。

この技術は、もともと惑星間、さらには恒星間移動を想定して開発されたもので、EOSよりさらに遠くの天体までも、宇宙空間に存在する惑星間どうしや恒星間どうしの流れに乗れば短時間で移動できるように考案されていた。

「滞在期間もあっという間だった……」

「いま思うと、そうかもな……」

先輩飛行士たちは、あの基地にほぼ半年ずつ滞在する。

今回の交代が「特殊な事情」だったとは言え、たった2週間の滞在で地上に戻された自分たちは、まだ宇宙飛行士のヒヨッコに過ぎない。この短い宇宙滞在は、次回に向けた研修だったのだと二人は理解した。

ちなみに、EOSと地上基地間の単独航行には、彼らがまだ取得していない「重技1級」（重力機技術士1級）以上の資格が必要だった。

将来、重技1級を取得すれば、単独で宇宙船を操縦できる。宇宙飛行士と本当に呼べるのはここからだ。

ただし、那由多が希望する地球の外惑星や、さらにその先の宇宙にまで行くには、300時間以上の宇宙航行経験が必要だった。

それが、「パイロット」認定の必須条件である。さらにコマンダー（船長）にまでなれる人は、パイロットとしても優秀な成績を残した飛行士だけだった。

那由多と伊吹は、自分たちを送り届けてくれたパイロットに礼を述べた。発着場の外には、指導教官に率いられた訓練生仲間が、迎えに来ていた。先に指導教官と挨拶を交わした先輩飛行士は、

「さて、私は地上のコーヒーでも、一杯ご馳走になろうかな」と笑った。

連れ帰った若手二人にも笑顔を向け、感慨深そうにこう言った。

「ああ、いつ降りても仲間に迎えられるのは嬉しいね」

彼は、明日には、また宇宙《そら》へ還るのだ。

先輩飛行士は、別れ際、那由多の肩を叩き、

「共振回路《きょうしんかいろ》がうまく働くといいな。頼んだぞ」と激励した。

「はい！」

そして伊吹には、「君はMSを目指しているんだよな」と声をかけた。

「はい！」

緊張した面持ちで返事をする息吹には、肩を抱くようにして、さらに親身にアドバイスをしてくれた。

「君の技能は優秀だ。このまま頑張れ！　今後の課題は、そう……、広い視野を持つことだな。

些末《さまつ》な手柄を焦らず、宇宙のように広い視野を持て！」
伊吹は、いくぶん頬を紅潮させて、ただうなずいた。

緊急上昇システム

那由多と伊吹は、仲間の抱擁を振り切って、まず上席教官に報告に向かった。報告から戻った二人を、待ち構えていた訓練生が質問攻めにしたのは言うまでもない。

翌日までの一日の休暇が那由多たちに与えられた。明ければ、地上での任務が与えられる。特に那由多の新たなミッションは、考えようによっては宇宙へ行く以上の重みがあった。

宇宙飛行士としてヒヨッコ同然の二人だが、宇宙に観光に行ったのではない。先輩たちの研究や作業を、日夜補佐し、経験を積んで戻っていた。

そして今回、彼らは「最重要任務」として、Eアイランドの防災システム用の新しい基幹部品を持ち帰っていた。

それが、先輩飛行士の言った「共振回路」すなわち《重力周波数・共振回路》である。これは、超電導構造体を利用した極めて感度の高い「アンテナ」であり、地球の重力場の定在《ていざい》周波数《しゅうはすう》の変動を瞬時に受けて「共振周波数」を再調整し重力場共振を常に安定化させる「次期」動力システムの根幹を成すものだった。

財団が臨時交代要員をEOSに送りたかった理由は、この装置の必要性にあった。

地球の重力は、おおよそ毎秒9・8m／秒。定数「G」で表現されることも多い。

ただし、実際の重力「g」は変数であり、さまざまな条件によって微妙に変化する。

地球は完全な球体ではないうえ、内部を構成している物質もどこでも均質なわけではない。

さらに、それが自転しながら宇宙空間を移動し続けている。

そのため、同じ地球の表面でも、緯度や海抜（高度・深度）、地形や地質によって重力は微妙に異なり、さらに、気圧の変化や、月や太陽が地上に及ぼす重力の影響も厳密には無視できないのだ。

新技術《重力周波数・共振回路》は、その重力の変動を生み出している重力場（電磁波の一種）のゆらぎを、瞬時に把握し、島の発電機能を即座に補正する。

では、その技術を開発する意義はどこにあるのか？

実はEアイランドにとって、地球の重力場を正確に検出することは、「緊急上昇システム」を安全・確実に作動させるために欠かせないのだ。

島はもともと、重力機の動力と同じ原理で中央区画部を地上から切り離し、空中に移動させる設計をされていた。

だが、15年前の南海トラフ地震に際して、実際に中央区画部を緊急避難させた際には、上昇、降下時の重力変動幅が予想以上に大きく、特に降下時には地上接合部に戻れず、衝突によって、甚大な損害が出ていた。

その損傷は、「中央エネルギー階層」をはじめ、接続部以外のさまざまな区画にも及んだのである。

もちろん、地上の区画は、津波の勢いを大幅に減殺《げんさい》できたとはいえ、降下時の衝突によりほぼ壊滅的な損害を被ってしまった。

中央エネルギー階層について言えば、外部からの敵対的な攻撃を考慮して最下層に設けられているがゆえに、いったん空中に逃れた後、再接地する際には、真っ先に地表に激突し、大破してしまった。

現在、島の各所に小規模な発電システムを散在させている電力供給システムは、このときの電源喪失の反省を踏まえたものでもある。

そして財団は、その経験をもとに、中央区画部だけでなく、島全体を地上から切り離せる新たな緊急上昇システムを構築する計画の必要に迫られたのだった。

次期緊急上昇システムが島と地上を分離する「境界線」は、現在の中央エネルギー階層の基底部より、さらに数層深いところに設計されていた。

質量と重力——

すでに、Eアイランドでは、いざとなれば電磁シールド（電磁障壁）を展開するシステムが存在している。

これは、自然現象としての隕石《いんせき》の落下や、人為的な島への物理攻撃に備えるシステムとして防衛構想に当初から計画されていたもので、現在は改良を重ね、その実効性が確認されている。記録上の台風なら、被害は出ないというシミュレーションデータを出していた。

だが、地球規模の地殻変動がもし起きた場合、その被害は予測できなかった。

財団が大がかりな避難システムの構築を決断した背景には、当時の国際情勢も深く関わっていた。まず各勢力の暗躍があった。

地球の資源を「有限」と考え、その占有を画策《かくさく》してきた支配勢力は、人類の人口調整に長く不満を抱いてきた。２０２０年代の感染症騒ぎに乗じた「ワクチン接種」なども、不妊を助長し将来の人口を削減することが目的ではないかとの憶測さえ飛んでいた。

だが、ワクチン接種の継続は、「彼ら」の思惑どおりに進むことはなかった。

そして以降、「彼ら」はアフリカやインド、中国など世界各地で、密かに気象兵器による攻撃を急増させていた。

人工台風や人工地震が引き起こす災害は、一般に「異常気象」と報じられている。だが、実は、再三にわたる気象兵器の利用が、地球の自然活動、すなわち海洋や地殻の営みにも大きな歪みを生み出させてしまっているのだ。

日本列島の周辺も、その影響を免れてはいない。

特に、台湾などへの人工地震攻撃が南・東シナ海の地殻にヒビを生じ、そのダメージが南西諸島のみならず、小笠原諸島や本土の近海まで及び始めていた。

だが、財団が計画を決断した最大の理由は、それとは別のところにあった。

財団が各分野の研究者と研究を共有することは公知だが、その中で看過できない重要な異変が発見された。

海水温の温度上昇現象として知られる「エルニーニョ現象」は、その原因が不明とされていたが、２０２０年代に日本やペルーの研究チームが「海底火山活動」の結果であることを突き止めた。その事実は世界へ報じられたが認知されず葬り去られた。

財団は観測データに注目し、研究を追跡した。２０１３年、米国の研究チームが日本の東方１６００キロ沖に海底火山を発見していた。そしてその規模は、なんと「太陽系」内最大級とされていた。

その年、日本では西之島《にしのしま》の噴火活動が活発化し、新たな陸地の形成を始めたことが話題となっていた。翌２０１４年には、日本から８０００キロ離れたトンガ王国の沖合にも、海底火山の噴火に伴う新島が出現した。

財団は、この関連に注目した。それは、噴出している溶岩がともに「安山岩《あんざんがん》」だったからだ。通常の火山活動で地表に溶出《ようしゅつ》するのは玄武岩《げんぶがん》だ。それに対して、安山岩は基本的に大

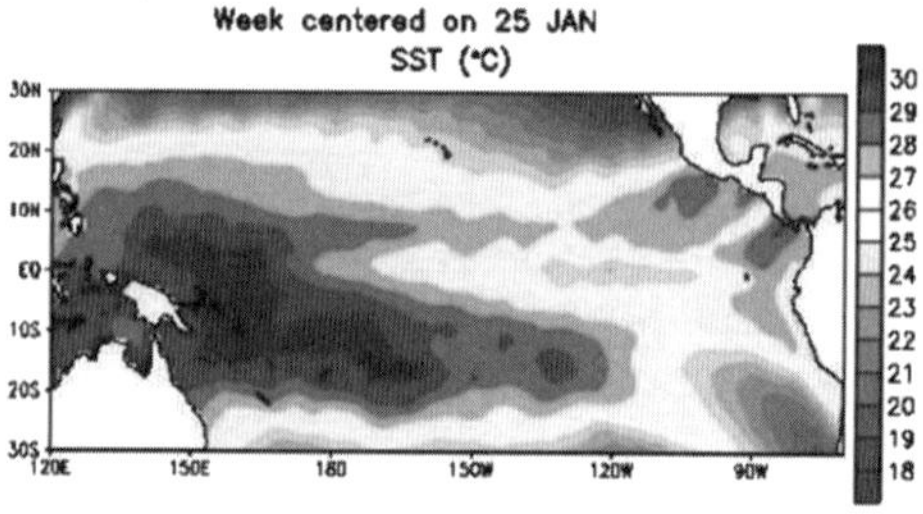

太平洋全域で水温の上昇が観測されていた

陸を形成している岩石であり、その成分は地表に近いところのものである。

これは、同じ太平洋上の西之島とトンガで、同様に地殻が薄くなり、マグマが表層の岩盤を溶け出させていることを示している。そして、太平洋全域で海底の水温が一様に上昇していた。西之島の活動も、トンガ沖の新島形成も、同じ環太平洋海底火山活動の一環だとしたら……。

財団が内部の激しい議論の末に出した結論は、近い将来、「太平洋で大規模な地殻変動が起こる可能性が高い」というものだった。

「新たな大陸が太平洋にできる可能性がある」……それは地球規模の大変動だった。

一斉に太平洋の海底火山が活動を始めたら、地殻変動の規模は東日本大震災や南海トラフ地震などの比ではない。

この日本列島も無事では済まないだろう。

そこで浮上した計画が、「全島緊急上昇システム」の再構築だったのである。


だが、この計画には、乗り越えねばならない技術障壁があった。

Eアイランドが小さな島だとはいえ、その質量は6～7億トンと推定される。これほど巨大な「質量」を地球重力に対し無効化するには、島自体が発生する自励重力場（自己重力）を、地球の重力場と完璧に共振させ同期させて相殺《そうさい》せねばならなかった。

数千トンの宇宙船を飛ばす程度の自励重力場では、全く力が足りない。6億トンもの建造物（島）を安全に地上から上昇・下降させるには、地球重力の影響を「ほぼ」ではなく、「完全」

に無効化する必要があったのだ。

そのカギを握るのが、地球の重力波（周波数）を瞬時に検出し、中央エネルギー階層の自励発電システムにフィードバックする「重力周波数・共振回路」であり、これこそが、島全体を上昇させる「重力制御」に必要不可欠な技術だった。その開発には、無重量空間での共振調整が必要なため、ＥＯＳで密かに開発が行われていたのだ。

そして財団は、南海トラフ地震当時、ある情報もつかんでいた。

それは、日本の経済基盤を破壊するため西日本を狙った、「マグニチュード８」レベルの巨大地震攻撃が、すでに準備されているというものだった。

実行時期は「予測不能」という点に、財団の上層部は焦りを隠せなかった。

それから15年を経た先の８月11日、異常な台風がＥアイランドの近海を襲った。これは、「前哨戦《ぜんしょうせん》」だと財団は分析した。

そのため、宇宙で開発されていた「共振回路」の、地上への回収を急いだのである。

実はそれこそが、那由多ら訓練生を動員してまで交代要員を準備し、ＥＯＳに向かわせた大きな理由だった。

視線の先——

——広い視野を持て！

先輩飛行士の言葉は、伊吹高の心にぐさりと刺さっていた。

伊吹には、宇宙に滞在中も、自分より那由多が優遇されているように感じられてならなかった。いや、事実そうだったのだ。

ＥＯＳの古参クルーには、もともと那由多の顔を知っている「島の出身者」が複数いた。彼らは何かと那由多と話をしたがり、「逞しくなったな」などと賞賛もしていた。

その様子を横目に、（俺は、よそ者か……）と伊吹は感じた。

さらに那由多には、到着後ほどなく、地上に降りてからのミッションも明示された。島の中核エネルギーシステムに「共振回路」をフィットさせるという任務だった。

その任務のため、那由多は、宇宙基地に滞在している間、ずっとＰＳ（ペイロードスペシャリスト＝搭乗科学技術者）たちと行動をともにし、レクチャーを受けていた。

伊吹は、那由多が超電導のエンジニアでもあることを、このときまで知らなかった。

そして、年長の研究者たちと議論している仲間の姿を見て、（あの、お調子者の大和が……）と密かに舌を巻いたのだった。

伊吹の任務は、宇宙基地のさまざまな機能を運用するＭＳ陣の補佐だった。

だが、基本的に補助要員なので、何も指示を受けていない時間も長かった。そんなとき、どうしても那由多の挙動が気になった。

（大和のやつは……）

そんな宇宙滞在のさなか、彼の気分を感じ取った先輩クルーの一人から、伊吹は

「自分の役割に集中すべきだぞ」とアドバイスされたのだった。

「しかし先輩、私には、任務が少なすぎます」

そう訴えると、静かに諭された。

「目先の任務など、なくてもいいんだ。いざというときに臨機即応するには、何もせずに全体を見渡しながら、平常心で待機していることも必要だからね。そうした行動が取れることも、飛行士の能力のうちなんだぞ」

帰還した日に先輩パイロットから送られた「広い視野を持て」という助言は、宇宙で受けた説諭を伊吹にまた想起させた。見事に、彼の痛いところを突いていた。


宇宙とは、地上での想像を超えた不思議なところだ。

伊吹自身も感じていたが、地球を3万5000キロも離れると、そばにいる人の気持ちが地上よりもよくわかる。会話をするにも、無意識にテレパシーを併用しているような感じになる。

宇宙とは、嘘をつけない空間なのだ。

伊吹は宇宙で、ふだん見せている姿ほど那由多が軽薄ではなく、むしろ冷静沈着な男であることを理解した。そして、彼が内心、自分を警戒していることも感じた。

それに比べると、自分は独善的で思い上がっているのではないか。同期生の能力を勝手に軽く見て、不当に厚遇されていると妬《ねた》んでいたのだ。

（このイヤな気分は、大和にも伝わっているのだろうな……）

伊吹は、自分の矮小《わいしょう》さを思い知らされたようで、自己嫌悪にいたたまれない思いも味わった。

（だが、これも経験か……）

同期生の二人は、お互いに、相手が自分をどう思っているかを宇宙で感じ取った。だが、お互いに、その中身を口にすることはなかった。


二人が地上に帰還した翌日――。

ＥＯＳに戻る先輩飛行士は、彼の重力機で、病の癒えた訓練生のエース・田口隼を宇宙へ伴って行った。

田口は、ＥＯＳにすでに搭乗しているＭＳ陣の補助要員として、次の交代時期までの半年間、宇宙基地に滞在するミッションを命じられていた。

それを知ったとき、伊吹の中で何かが砕け散った。

だが、彼はその屈辱感を今度は押し殺した。

（俺は、誰よりも立派なＭＳになる男だ……）

田口のような、そして悔しいが那由多のような協調性……。自分にも、彼らのような人と和《わ》する力があれば、と痛切に思い知らされた。

協調――

新造の共振回路を中核システムに組み込むプロセスは、現場対応のデリケートな作業であったが、島の技術陣の努力で順調に終了した。

後は、地球重力場を正確に検出できるように調整することだが、予想どおり難航していた。

那由多は、飛行士としての訓練ノルマを当面免除され、回路の調整に集中していた。連日、地上の専門家と協議し、宇宙の研究メンバーとも交信し助言を受けていた。

本来、こうした回路の制作・調整に適する環境は宇宙にある。だが今回は、ＥＯＳで完成寸前までたどり着いていた回路を、スケジュールを前倒しして地上に持ち帰り、現場で修正を加えながら完成させねばならなかった。

なぜ、そんな火急のミッションを行うのか。那由多は、帰還後に上層部の真意を伝えられていた。

近く発生が予測される巨大地震――。

いつ始まるか、予断を許さない海底火山による地殻変動。

その災禍に備え、Ｅアイランドと、その住人を守る。

自分に課せられた任務の重大さを思うと、楽天的な那由多の胃が痛んだ。

現に那由多は、地上に戻ってからというもの、目に見えてやつれていた。

（くそう、俺の力量不足か……。あるいは…何か見落としているのか……）

連日の調整でも回路がうまく安定しないことに悩んでいた。回路そのものに、まだ不具合があるのかもしれなかった。

深い事情を知らないエンジニアの一部からは、気軽に「無理そうだな」と断ずる否定的な声も上がっていると聞いた。

さらに上層部でも、焦燥感から「荷が重いのではないか」と那由多の力量を疑問視する者も出始めているらしい。

実は、島のセキュリティシステムの最高責任者は、那由多の父・大和光二である。

（親父も針のむしろだろうな……。親父のためにもココで投げるわけには……）

最近その父とは会っていないが、那由多には父の流儀がわかっていた。

このミッションでは、最高のエンジニアが那由多を周囲で支えている。それならいっそ、彼らの誰かが、俺に代わるべきなのかもしれない。

だが、万一、それでもうまく行かなかったら……？

（親父は、父子《おやこ》で責任を取るつもりなのだろう。だから俺なんだ……）

今、そんな那由多の最も近くにいるのは伊吹だった。

彼は、いつしか同期にも打ち解けようと努めるようになった。そして、自分の時間が自由になると、可能な限り那由多の作業につきあい、相談に乗ってくれた。

那由多も彼の変化が嬉しく、悩みを打ち明けるようになっていった。

共振回路を動かす……。

それは、伊吹にとっても最大の関心事になっていった。

その日も那由多は、中央給電指令所の一角で、ＥＯＳのＰＳたちに相談し、アドバイスを受けていた。

そして、作業を進めること1時間……。途中からは、伊吹も一緒に見守っていた。

「おお！　これは……」

「那由多、うまく行ったのか？」

「うむ……、どうやら、回路の基準信号が完全に地球重力波とシンクロ……」

「やったな。ついに！」

那由多は思わず右手を挙げ、互いの手のひらを伊吹と打ち合わせた。

「技術主任に報告だ！」

その後、重力波共振は、６時間を経て後も持続していた。

次は「起動テスト」だ。

全島上昇システムを稼働させるには、中核エネルギー施設の発生電力の大部分を重力場発生システムに供給し、自励重力場を発振させて地球重力を「無効化」する。そのトリガーとして大電力を要するため、一時的に島の中核動力を「占用」する必要があった。

上層部は、起動テストの実施を３日後と決定し、ただちに全島に、公示した。

システムダウン

翌日――。

起動テスト予定日の2日前。Eアイランドに異変が起こった。

公共交通のトラムが動きを止め、多くの区画で通信が途絶したのだ。

乗客を乗せた運行中のトラムは、各機とも空中に留《とど》まっていたが、運行システムがダウンしたため緊急停止して安全を確保していた。

間《ま》もなく通信システムが回復すると、住民たちは、中核エネルギー施設からの送電が止まっていることを知った。

島の中心部にある中央エネルギー階層では、警報が鳴り響いていた。全システムが非常電源に切り替わり、職員たちが原因究明と復旧対応に動き始めていた。

那由多は、控えていた訓練棟から、中央給電指令所への最短距離を走っていた。

(何かプログラムをミスっていた?)

ふだんより灯りの乏しいエネルギー棟に猛然と駆け込んだところで、

「おい、那由多!」と声をかけられた。

暗がりから近寄ってきたのは伊吹だった。

彼は、その日珍しく休暇を取って訓練棟にはいなかった。

だが、中核システムのダウンに気づくと、すぐに駆けつけてきたようだった。

「俺が、何かしくじったのかな?」並んで走りながら那由多は言った。

「そんなわけないさ。回路は起動させてない。問題があるとしたら……」と伊吹は息を切らせた。

「あるとしたら、何だ?」

「考えられるのは……」と伊吹は呼吸を整え、

「外部からの攻撃か、過電流で安全装置が動いたんだ!」

二人は、ゴールラインのテープを切る勢いで、給電指令所に駆け込み、共振回路の専用モニターを見た。

そこには異常はなかった……。

もつれる糸

その頃、中核エネルギー施設を見学中だったジャーナリスト三井茂が、地下7階で施設保安員に身柄を拘束されていた。

三井を案内中にシステムダウンに遭遇《そうぐう》した河合恭子は、状況を確認しに給電指令所に上がっていたところへ、保安課からリストミッターで呼び出しを受けた。

——地下の「サプライハンガーフロア」で三井と名乗る者を拘束しました。

那由多と伊吹が給電指令所に駆け込んでいったのは、呼び出された女医が慌てて保安課に向かったのと入れ違いだった。

「この短期間に2回も保安員の手をわずらわせるとは、前代未聞ですよ」

保安課主任から三井の挙動を聞かされた河合は、

「私の不注意です。ご迷惑をおかけしました」と平謝りである。

河合医師のかたわらには、彼女から連絡を受けて駆けつけたアマネも静かに座っていた。

三井自身は、ひととおりの尋問に素直に応じた後、一人、別室で待たされていた。

彼が供述した自らの行動は、河合とアマネの説明によって裏付けが取れた。

保安員が彼を発見したフロアを調べても、不審物などは見つからなかった。

さらに、三井が主張していた「不審者の存在」は、監視カメラでは特定できなかったが、思念判定から、証言は嘘ではないと判断され「記録上」には残された。

三井の身柄は、上の承認を待って河合に引き渡されることになった。

同じ頃、島の保安課サーバーに、ある学者から「通報」が入っていた。中核システム付近からの未登録クーロン輻射周波数を、システムダウン直後まで計測器が記録したとのことだった。

学者の通報では、信号は、数週間前から断続的に発信され、システムダウン直後に消失したという。

その不審な信号は、通報以前から島の技術陣も確認しており、島内部のいずれの機器からの信号でもないことは調査済みだった。

保安課では、システムダウン後に技術陣への聴取を終え、念のため地下の捜索に当たっていた。

保安課の主任は、本土で刑事課の係長を務めた男で、直観的に内部の妨害工作と判断し、部下を地下の階層へ送った直後に「三井」が発見されたのだった。

やがて承認が下り、河合とアマネが、三井が待たされていた別室に通された。

ドアが開いて二人の姿が目に入ると、三井は一瞬、嬉しそうに笑いかけたが、すぐバツが悪そうに横を向いた。

「やあ、河合さん。それに宗像さんまで……。すまないな、また迷惑をかけちまった」

「しょうがないわね……」と河合は厳しい表情を作ると、すぐに
「今日は知ってのとおりの状況だから、見学は出直しよ」と言った。

三人で部屋を出ると、河合は受付で、保安職員の差し出した思念リーダーに片手を載せた。

彼女の名前と「承認サイン」が表示され、三井を引き取る手続きが完了する。

これによって彼女の評価が下がることはおそらくないが、見学および監視の責任者として、保安課を関与させたログは残ることになる。

「帰りましょう」と、女医は三井を促した。

だが、三人が保安課を出ようとしたとき――。

息を弾《はず》ませながら入室してきた宇宙飛行士訓練生の二人が、肩を並べた河合と三井に鉢合《はちあ》わせた。

二人の横を通って室内に進み、「主任！　不審者はどこですか？」と尋ねる伊吹。

那由多は、女医の後ろに立っているアマネの姿に気づいて、その場に棒のように立ちすくんだ。

「……アマネ、どうしてここに？」

息巻く伊吹と、戸惑う那由多の様子に気押されながら、河合は、

「飛行士訓練生の大和君ね、お疲れさま。私は、患者だった見学者の方を案内しているのよ」

と、三井のほうを手のひらで差しながら答えた。

その間にも、伊吹は保安課のカウンターに詰め寄り、「不審者の情報をください。中核システムに何かあってからでは遅い！」と訴えている。

そして伊吹は、窓口の保安員から簡単に事情を聴くや、

「その男を自由にさせてはダメだ！」と叫びだした。

そして、那由多の腕をつかむと、

「那由多も頼んでくれ。先生、その男は見学者を装った工作員です！」と訴えたのだった。

那由多は状況に戸惑うばかりだった。だが、伊吹は河合らの前に立ちふさがったまま動く気配を見せなかったので、彼女らは異様な雰囲気に戸惑っていた。

「大和君！　あなたたち、無茶を言わないで。もう引き取りの承認は下りているのよ」と河合が抗議した。

那由多は、伊吹の行動に戸惑っていた。

だが、三井が河合をかばうように前に出て、

「なあ、穏便に行こうや」と言うや否《いな》や、伊吹が三井の腕を強引につかんだ。

一同に緊張が走り、伊吹と那由多はすぐさま保安員たちに拘束された。

那由多が「河合先生、とりあえずアマネと話をさせてください！」と訴えたのと、アマネが気を揉《も》んで「那由多、おとなしくして！」と言ったのが一緒だった。

「話は後で！　後で連絡するから！」

アマネはそう言いながら、保安員に背中を押されるようにして那由多から遠ざかっていく。

呆然《ぼうぜん》とする那由多のかたわらで、伊吹だけは興奮して
「犯人はそいつだ！」と叫んでいた。

8章
クリアランス——女医の過去と未来

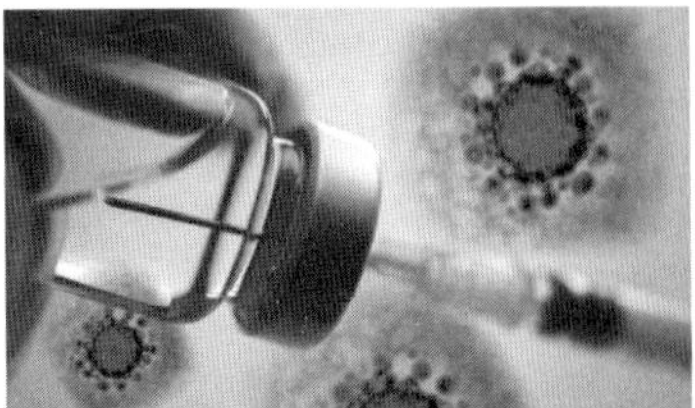

夫と娘の失踪

Eアイランドの医師をここ数年勤めてきた河合恭子に、一身上の変化が生じようとしていた。それは、ちょうど珍客・三井茂を案内するようになった頃のことだ。

島の中央電源システムがダウンし、挙動不審で拘束された三井を引き取った騒動の翌朝、女医は受け取ったばかりのメッセージに返事を書いていた。

返信を済ませると、家族の写真に目をやり、心なしかすっきりとした表情でつぶやいた。

——マリ……、見ていてちょうだい。ママ、頑張るから。

今から20年余り前、彼女は家庭を持ち、夫婦で幼い娘と一緒に暮らしていた。

その頃の彼女は形成外科医で、専門は特に女性の喪失機能の再生。夫は、同じ病院の内科の勤務医だった。

2045年にもなると人々の記憶から薄れてしまっていたが、2020年を挟んで「パンデミック」という言葉が世界を駆け巡り、コロナウイルスの蔓延《まんえん》騒ぎとワクチン接種競争が、およそ4年間にわたって世間を騒がせた。

2021年、日本国内でも国民に職種や年齢順にワクチン接種が始まり、延期されていた二度目の東京オリンピック「TOKYO2020」が、政府により強行された。

ところがその年、秋から冬に変わる頃、日本国内でウイルスの変異株《へんいかぶ》騒動が再び起き「陽性者」数を示すデータが出回り始めたのだ。

当時、河合の娘・茉莉《まり》は小学校に上がったばかり。通っている小学校ではまだテレスタディの導入が進まず、授業がたびたび短縮されていたが、休校はまだなかった。

そんな中、彼らの住む地域にも「学童接種」の通知が舞い込み始めた。夫婦は、初め「娘たちにもワクチンが届く」と胸を撫で下ろしていた。

しかし、それと並行するように、ワクチンの先行接種を受けた国内の高齢者や医療従事者に、かなりの割合で副反応と思われる症状の出現している実態が知られ始めた。

内科医の夫は、SNSでの情報収集や医師仲間との対話を重ねるうちに、事実をほとんど反映しない政府発表やマスメディアの情報に、疑念と不安を募《つの》らせ始めた。

あれは、娘が対象となる学童接種の通知を受け取った翌日だった。

夜勤明けに顔を合わせた夫は、困ったような顔で口を開いた。

「恭子、相談があるんだ……」

「なあに？」

「マリのワクチン接種のことなんだが……」

「ええ、ようやく通知が来ていたわね」

「うん、それなんだが……、接種はやめよう！　……いや、やめないか？」

「えっ？」

恭子は、医療従事者への先行接種も「患者への感染が防げる」と歓迎した口で、ワクチン接種には積極的な立場だった。

「ちょっと待ってよ。拒否はできないでしょ？」

「わかっている。でもな……、先行接種を受けた人たちに思わしくない症例が多いんだ」

「でも……、それはほとんど高齢者でしょ。マリは7歳よ」

「だからこそ拒否したい！」

「どうしてよ。まして私たちは医師よ。医療関係者が拒否できるわけないじゃない！」

彼女は、たとえ接種を拒否しても学校から再考を促される、下手をしたら登校もできなくなると滔々《とうとう》と訴えた。

「私は拒否なんて認めない！　あなたはマリの幸せを考えてないのよ」

思えば、彼女が浴びせたその一言に、夫の目の色が変わっていた。

「この話はおしまい。今日はもう休ませて」

恭子は席を立つと、頭を抱えて黙っているパートナーを残して寝室へ下がった。

そして、その数日後……、

深夜に帰宅した女医を、テーブルの上に残された一通の手紙が無言で迎えた。

夫は、娘をワクチンから遠ざけるために、妻を残して家を出て行ったのだ。

彼は、同じ日に勤務先の病院も退職していた。

それ以降、彼女がいくら探しても、夫と娘の行方はわからなくなった。ごくたまに便りが来て、二人とも健在であると知らせてくるだけだった。

しばらくの間、恭子は二人がどこにいるかつきとめ、夫を実子誘拐で訴えることも辞さないつもりだった。だが、やがて自分の「落ち度」に気づくと、訴訟《そしょう》などは考えられなくなった。

ただ、自分がすでに変わっていることを二人に伝えたい。今はそう願っていた。

巷言《こうげん》には忘れた頃の便りというが、彼女の心の中からは、娘と夫の「不在」が消えたことがない。

過ぎし日——

二人との写真を眺めながら、女医の脳裏に家族旅行の一コマが浮かんでいた。

激務の中でお互いの休暇を合わせて出かけた旅先。まぶしく陽光の照らす海岸で、夫がぽつりと言った。

「こんな日がずっと続くといいな……」

「もちろん続くわよ、あなたとマリさえ元気でいてくれれば」

「おいおい、君自身のことも忘れるなよ」

そう言うと、夫は突然、走り出した。

「神様～！　家族を与えてくれてありがとう！　娘を授けてくれてありがとう！」

そんな父親に、幼い茉莉も釣られて駆け出した。

「パパ～！」

砂浜に足を取られて転んだ娘を、二人で抱き上げ、交代で抱きながら宿に帰った。

そんな時間が途切れることを、そのときは思ってもいなかった。


彼女が、この島の「財団」を知ったのは、10年前だった。

その10年間、河合は夫と娘の行方を追いながら、彼が自分のもとを去った真意を知ろうと探っていた。そして、夫が伝えようとしていた「事実」を遅まきながらやっと理解したのだった。

恭子は、それまでの形成外科から、志願して内科の医局に異動した。そして感染症や免疫疾患の研究に没頭し、その成果として——当時のワクチンの正体とエクソソームの機能と可能性に関する学説を、何編も論文にまとめていった。

誰よりも……、連絡の取れない夫に、それを読んでほしかった。

だが彼女の論文は、発表するたびに黙殺され、すぐにアーカイブから削除された。彼女自身も、先のパンデミックで「口封じ」をされた研究者と同様に、「とんでも意見拡散者」の一人として公《おおやけ》の場から排斥《はいせき》されてしまったのだ。

だが、彼女の説にまともに向き合ってくれる学者もわずかながら存在していた。そして、その一人が、彼女が現在所属する財団の正会員だった。

その紹介で財団を知った頃、Eアイランドは、南海トラフ地震で被った大きな損害の復旧を進めると同時に、職員の「拡充計画」を実行に移していた。

大学病院での活動に限界を感じていた彼女は、財団幹部の講演を聴くうちに、強く惹《ひ》かれる自分を感じていた。やがて自ら財団の「基金」に応募し、入島資格試験にも合格して、島の正規職員（医師）として採用されたのが5年ほど前のことだった。

財団が関連委託企業を通じて運営に当たるこの島の中では、一般的に世界では当たり前の「労働報酬」という考え方がなかった。

一般企業のような利潤を追求する競争の代わりに、各人の能力と努力で、ほかの住民にどれだけ貢献できるかが評価される。すなわち、利他《りた》の行為、他者への奉仕が給与に相当する報酬の基準とされている。

河合医師は、ここ数年、その総合評価でトップクラスを維持していた。その熱心さに、同僚や財団側の管理者も彼女の過労を気にかけるほどだったが、本人は、じっとしているより仕事をしているほうが楽しいと話していた。

女医は、写真を元に戻すと、何かを探すようにゆっくりと室内を見渡した後、診療所を後にした。

降りてきた円盤

その日、河合が三井を見学に連れ出したのは、新たに島の住民になったメンバーのための初心者用見学コースの一部だった。

まだ島に来て日の浅い何組かのカップルや家族連れが、係の案内を受けながら、彼らの前を歩いていく。

前日、勝手な行動をして拘束されたばかりの三井は、さすがに神妙に女医に付き従っていた。

「昨日は、申し訳ない……」

「もういいわ。でも、次は何か思い立っても、私に断ってから行動してね」

黙ってうなずく三井に、河合は続けた。

「この島では、警察の取り締まりなどがない代わりに、誰もが他人のことを考えて行動するの。利他的に自分を律せられないと暮らしていけないのよ」

「わかった……」と三井は答え、

「たしかに、それは理想だよな」と付け加えた。

河合は事実を述べたのだが、三井は彼女の理想論と受け取ったようだ。

女医は、あえてそれ以上の説明はせずに、最初の見学ポイントに三井を伴っていった。今日は三井にとって、おそらく貴重な一日になるに違いない。

河合自身も、そうなることを期待し、微かにときめきも感じていた。

ほかの見学者たちの後について向かったのは、三井が前にも来たことのある、島の中心の広場だった。

「おい！　ここは……、子供たちがゴーカートで飛んでいたところだよな？」

「そうよ。ただし本来、もっと重要な役割があるの」

「重要な役割？」

「ええ、すぐにわかるわ」

河合がそう答えている間に、10人余りいるほかの見学者たちがざわつき始めた。

「ほら、来たわよ！」

女医は、広場の上空を指差した。

三井が見上げると、数百メートル上空の雲の中から、音もなく姿を現す物体があった。彼の目は、その物体に釘付けになった。

「何だ？　あれは……」

物体は輝きながら、徐々に高度を下げてくる。

その形は、三井が子供の頃に映画で見た「空飛ぶ円盤」そのものだった。

すると、今まで普通の中庭に見えていた地面の一部が、下からライティングされ始めた。降りてくる物体に着陸位置を示しているらしい。

「ここはね、島の《航空宇宙ポート》なの」と河合が言った。

ほどなく、物体は着陸した。

その間、普通の飛行場なら当たり前に聞こえるエンジンの轟音《ごうおん》や騒音の類《たぐい》は一切聞こえなかった。

そして地上に降りた機体は、航空母艦のエレベーターに乗ったように、広場から地下へと収容され、消えていった。

感電!――

河合の想像どおりに、三井は興奮していた。

「お、おい!　あれがウワサの円盤か?」

(そうなんだろ?)と言わんばかりの目で女医の顔を見つめていた。

まあ、言わんとすることはわかる。

この頃、Eアイランドの重力機は、頻発する災害救助のために世界各地に派遣され、現地の人の目に触れる機会も出てきていた。

三井のようなジャーナリストなら、話ぐらいは聞いたこともあるだろう。

「そうね。噂の円盤かどうかはともかく、あれが《重力機》。この島が運用しているトランスポーター、つまり移送機よ」

「UFOそのものじゃないか！」

「重力を制御して飛ぶには、最も合理的な形状なのよ」

河合の答えを聞いているのかいないのか、三井は息巻いて
「おい、あれに俺も乗れないか？」と言い出した。

「今のあなたのクリアランスでは無理です！」

「チェッ、ケチ臭いなぁ……。いいじゃないか、ただ乗るぐらい」

「その時が来れば、きっと乗れるわ。でも、今はまだダメよ」

不服そうな三井を促して、女医は発着ポートを囲む道を進んだ。

「乗ることはできないけど、もっと近くであの重力機を見られるわよ」

「本当か！」と三井の目の色が変わる。


彼らが向かったのは、施設の地下にある整備ドックだった。がらんどうの倉庫のような空間に、同じ形の重力機が4機、一列に並んで整備を受けていた。

立ち働く整備士たちとは別に、現場を案内する係員がいて、あまり機体に近づかないようにと見学者に注意していた。

ところが三井は、初めて間近に見る重力機にすっかり関心を奪われ、係員の注意が全く耳に入っていなかった。

先ほど見た覚えのある機体のマークを見つけると、思わず機体のほうに足が向かってしまった。

またも河合のそばを離れて機体に走り寄ると、制止に近寄る整備員の姿も目に入らず、

「おお～い！　さっきの機体、これこれ！」

係員と話している女医のほうを振り返って、指で機体を指し示した。

「何をしてるの！」

河合が叫んだその瞬間――。

三井の差し出した腕が猛烈な力で重力機に引き寄せられ、指先が機体に触れるや否や、全身が一気に反対側に吹き飛ばされた。

ドッと、床に倒れ込んだ三井のそばに、慌てて河合と係員が飛んでいく。

「大丈夫？」

「あいてて……、腕が痺れて動かない……」

河合が急いで袖《そで》をまくり、腕を確認したが外傷は見当たらなかった。

「怪我はないわよ」

係員によると、重力機に近づき過ぎた三井は、機体の表面に触れたとたんに身体が帯電し、弾《はじ》き飛ばされたのだと言う。

「この腕、治るのか？」

「安心して、感電しただけよ。いずれ痺れは取れるから」

河合は彼を引き起こすと、背中を支えながら元の見学コースに戻った。

ほかの見学者たちも一連の騒動に驚き、様子をうかがっていたが、三井が無事とわかると再び歩き出した。

友達？――

重力機を見学した翌朝――。

三井は腕をさすりながら、「常宿」の近くの生活用品マーケットに入っていった。

今の彼は「治療期間中」と見なされ、食事などの経費も当面、島の医療部門に負担してもらっている。そして、外部者の彼でも今のクリアランスがあれば、一般住民のように日用品は自分で手に入れられる。

河合にも「お金は気にしなくていいわ」「好きな買い物をしてらっしゃい」と、外出を許されていた。ただし、無制限に何でも買っていいわけではない。

三井は店内を物色すると、彼なりに遠慮して、ビールとナッツ類、いくつかのレトルト食品を籠《かご》に入れ、レジのような台の上に置いた。

この時代、現金の不要なキャッシュレス化がいっそう進み、日本のどの地域でも、付与されたチャージの範囲内でマーケットの品物を持ち帰ることができる。もちろん、島の中でもそのしくみは同じだった。

「すみません！」

マーケットを出たところで、三井は見ず知らずの男に声をかけられた。

「えっ？　なんか用？」

「あ、突然失礼しました。昨日、重力機の見学中にお見かけしたものですから……」

「ああ、あんた、最近、島へ来た人なんだ？」

「そうなんです。あなたも最近いらした方ですか？」

「ま、まあな……」

とりあえずお茶を濁《にご》す。島の中で、見知らぬ他人から声をかけられるのは初めてだった。

「私、山田と申します。実はまだあまりここに知り合いがいなくて……、よろしかったらお名前をうかがえますか？」


山田は、三井と同年配の人懐《なつ》こい男だった。

それ以来、街中で三井を見かけるたびに声をかけてくる。念のため、河合に彼のことを伝え、話をする許可をもらった。

リストミッターで連絡できるようになると、山田は連日のように連絡をしてくるようになった。

ある日、その山田が何気なさそうに訊いてきた。

「ところで三井さん。失礼ですが、この前の見学のとき、何か事故に遭《あ》われたようでしたよね？」

「いやぁ、みっともないところを見られて恥ずかしいな」

「いえいえ。しかしあれって、どんな事故だったんですか?」

「ああ、あれね……。あれは……」

口にしかけて、三井は河合の注意を思い出した。

――いいこと? 重力機の機体情報は、まだ厳重な機密事項なの。見学場で知ったことは誰にも話してはダメ。仮に相手が島の住民でもよ。いいわね……。

言いよどんだ三井に、山田は好奇心もあらわに
「で、どんな事故だったんです?」とさらに尋ねた。

島の住民である山田にも気を許してはいけない。

「いやぁ……、実はよくわからないんだよ。俺の不注意だったんだろうね」

三井はそう応えた。

「教えてくれてもいいじゃない。水臭いなぁ、友達じゃないですか?」

食い下がる山田に、「いや、悪いね」と言うと立ち上がった。

機密事項――

三井は、「友達」という言葉が好きではなかった。

友達づきあいが嫌いなわけではない。自分から「友達」と言うヤカラが信用ならないのだ。

これまで長く生きてきたが、何度その言葉にだまされたかわからない。

その日、三井は、「山田さん、じゃあ、今日はこれでな、じゃあな」

相手に背を向けたまま片手を上げると、さっさとその場から立ち去った。

「あ、三井さん！　ちょっと待ってくださいよ」

山田の声が追ってきたが、もう、会うまいと思った。

その後、リストミッターへの連絡を三井は無視し、しばらく考えて山田からの交信を着信拒否にした。


それから何日かが過ぎた——。

山田のことなどすっかり忘れて見学を続けていた三井に、河合が「保安課に行くわよ」と言い出した。

あそこには用はないと抵抗したものの、「一緒に呼び出されたんだから」と説得され、仕方なく二人で保安課の部屋に向かった。

不安を押し隠して室内に入った三井だったが、特に何かとがめられるということはなく、担当官からクリアランスの更新だと告げられた。

そこへ、制帽を被った上位の保安課員が出てきた。

「三井さん、今からレベル『2』を許可します。これから行う手続きを以って、レベル２の施設アクセスが可能になります」

「……レベル2?」

三井は、狐につままれたような顔で河合の顔を見た。

その顔は「喜びなさい！」と言っていた。

クリアランスレベル2の許可を告げた制帽の保安員も、

「おめでとう、三井さん！」と祝福した。

（ん……どこかで聞いた声？）

顔を上げ、あらためて帽子の下の顔を見ると、目の前に立っていたのは、ほかでもない山田だった。

「あ、あんたは……」

保安課の制服を着た山田は、満面の笑みを浮かべている。

「どういうことだい?」と三井は尋ねた。

「すみません、あらためてご挨拶を、山田は偽名《ぎめい》、クリアランス責任者の末永です」

「はあ……?」

この島でのルールの順守を、水際で維持しているのが保安課だ。クリアランスの許可も、ほとんどを保安課が発行している。その責任者が「末永」なのだった。

三井は、順当な手続きで入居した住民と違い、アクシデントによっていきなり島へ飛び込んできた。彼が島にとって安全か否かは、末永が陣頭指揮を執《と》って判断していたのだ。

クリアランスがレベル2に上がったことで、三井には島の外との交信が許可された。そして、重力機の内部の見学も可能になったのだった。

兄と弟と…

三井茂がレベル2を得た日の晩、アマネは保安課の前で告げたとおり、那由多に会って、今までの経緯を話していた。

那由多の兄・大和駩も一緒だった。彼も未だ、逃走魚の一件で島に留まっていた。

駩は、保安課での出来事の後、互いの端末で弟に連絡をつけていた。

――那由多、久しぶりだな。今日、アマネに会ったんだって？

――えっ？　久しぶりも何も、どうして兄貴がそれを知ってるんだ？

――いやあ……、実は、俺自身も今、あるトラブルで島の中にいるんだよ。

――なんだよ、それ。二人ともなぜ島にいるの黙ってたんだ？

――まあ、そう言うなよ。それより久々に食事でもしないか……。

ご機嫌斜めな弟を兄がなだめすかして三人での会食の約束を取りつけた。

その約束の日が、那由多の休暇前の「今晩」だった。

あの日、保安課でもめた那由多と伊吹は、保安主任に諭され、さらに訓練棟に連れ戻されてからも指導教官から「勝手な行動」への注意を受けた。

上は、三井とシステム・トラブルは無関係と判断したと教えられた。

「俺は、そう簡単には信じない」

伊吹は依然として言い張っていたが、那由多はすでに冷静に考え直し、彼が犯人と断定するのは早計だと思っていた。

「では誰が？」そして「何のために？」と疑問は残るが、少なくとも三井という男が、見かけほど害のある人物でないことは保安課の調査でも確かなようだった。


訓練を終えると、那由多は兄とアマネが待つレストランに向かった。

久しぶりで三人、顔を揃えての食事である。少し迷ったが、せっかくの機会だから兄にも制服姿を見せてやろうと、着替えもしないまま約束の店へ駆けて行った。

予約席に案内される先から、兄が手を挙げて大声で呼びかけてくる。

アマネは……、顔の前で両の手を合わせ、片目をつぶってこっちを見ている。

（どうやら、僕に謝る心当たりはあるらしいな……）と、ニヤリ。

席に着くや否や、まずアマネから
「余計な気を回していて、ごめんね、那由多……」

アマネにはそう言われたが、彼は、とうになんのわだかまりもなかった。

もともと、ひねくれて事を長引かせるような性格ではない。

さっそく、兄が頼んでくれた名物の「プラントベース唐揚げ」を頬張って、

「ふむふむ、なるほどね……」

　ひとしきりアマネと鯱が、いま島にいる事情を那由多は、聴いていた。

　その後、三人の話は、すぐに自然とお互いの最近の活動のことに移っていく。気の置けない関係は、子供の頃から何も変わっていなかった。

　最初に那由多が、訓練の様子や宇宙での経験を二人に語り、次にアマネが、先輩女医との自己免疫疾患の研究テーマについて話をした。

「なるほど、河合先生は、アマネの先輩ってわけか」

　そして鯱は、食料用として飼育中の大ガツオを養殖槽から逃がしてしまった「失敗」を、気恥ずかしくも、面白おかしく二人に語って聞かせていた。

　三人の中で、一番の年長である鯱には、アマネも、那由多も同様に妹弟《きょうだい》だった。

　それはアマネも同様で、那由多が笑うたびに一緒に笑いながら話を聞いていた。

　鯱は、逃がした巨大ガツオの皮下に埋め込んだ「GNSS（GPS）」が発する電波を、ヒューマノイドのオモイカネと一緒に追跡する毎日なのだと言う。

「オモイカネか、懐かしいな……」那由多は、昔を思い出していた。

「なあ、那由多。実は、「未登録」のクーロン輻射波が、島内部から断続的に出ていて、システムダウン直後に急に……急に消えたんだ」

　那由多は、兄の話に強い関心を持って耳を傾けていた。

「兄さん。その発信源はどこだかわかる？」

「あ、ああっ。オモイカネの分析では、中核システムの近辺らしい！」

「まさか、内部犯行……？」那由多の顔が曇った。

「分析結果は、保安課に送っておいたから今頃は調査を進めているはずだ……」

「そうだったの？」と、今度はアマネが驚いていた。

魫は最近、島にある専用実験室で、専用回線を使って、逃がした大ガツオが発する「追跡用パルス」を24時間探査していた。

先のクーロン輻射波は、逃走魚の位置を特定中のオモイカネが、偶然、登録データベースに載っていない断続波を発見して「魫」に報告したものだった。

その断続波は、島の重力共振器の波形と微妙に「位相《いそう》」がずれていた。

逃走魚追跡と関係ない報告に、魫は「真面目に探索しろ！」とオモイカネを注意したものの、信号の発信位置が島の中核システムの周辺であることが引っかかり、保安課と、父「光二」に報告していた。

「オモイカネに、異常信号の追跡をそのまま維持させろ」

それが、島のシステム責任者である父・光二の指示だった。

「了解しました！　お安い御用です」とオモイカネ。

そして、電源トラブルのすぐ前に、その信号が消えたことも、オモイカネは記録し、魫から大和光二に報告していたのだった。

訣別――

三井がクリアランスレベル2を得た翌日の晩――。

三井と河合は島のシーフードレストランにいた。この日の食事は河合の提案だった。

「あなた、いつも肉、肉って言ってるけど、たまにはシーフードもいいでしょう？」

「そうだな。まあ、魚も嫌いじゃない」

たしかに肉料理のほうが好みだが、釣りも嗜《たしな》む彼は、釣果《ちょうか》を自分でさばいて口にすることも少なくなかった。

河合が選んだ魚料理は、フランス料理「ポアレ」風の一皿だった。

香ばしく焼いた白身魚に、皮に見立てた野菜を被せ、その上から「シェフ」自慢の野菜を煮込んだ特製ソースがかけてあった。

素材は、半身で40センチ弱もある大きなルジェ。イトヨリに似た魚だが、通常はイトヨリより小型の魚だ。この大きさが、島の「養殖魚」の証拠だった。

「どう、おいしい？」

河合が尋ねると、三井は
「うん、柔らかくて実に美味い」と機嫌よく応じた。

まだ巨大魚を口にしていることに気づかず、

「これはイトヨリだな。高い魚を喰わせてくれてありがとうよ」

とソースに浸《ひた》したパンを口にした。

「次は貝料理よ」と、女医は密かに三井の反応を楽しみながら言う。

セカンドディッシュは、貝殻のまま蒸し焼きにし、野菜ソースで味を調えたムニエルだ。貝殻が二つずつ、皿に盛って供されたが、その殻のサイズが15センチもある。

三井は驚き、

「なんだ、これ？　タイラガイみたいにでかいハマグリだな」と言った。

すかさず河合は、

「いいえ、これはアサリよ」とかぶせる。

「バカ言え。アサリがこんなにデカイわけないだろう。……あっ！」

「気づいた？」

「これって、巨大魚の類なのか？」

「ふふ……。アサリにあるものを食べさせると、こんなになるのよ」

三井は、ひと口味わいながら、少し考え、

「ヤバイ薬とかじゃないだろうな？」

河合は、悪い冗談を軽く笑い飛ばして、

「そんなわけないでしょ！　あなたも私も普通に食べている食材よ」

「ええっ？　んん……、何だろう？」

「人が食べてもおいしいだけ。でも、貝がそれを食べるとスッゴクよく育つ。さて何でしょう?」

「教えろよ」

「今度教えるから、考えておいて……」

そう言って、女医は謎かけを切り上げた。

ディナーをすっかり満喫した後、三井は上機嫌で語っていた。

「昔からつきあいのある出版社に連絡をしたんだ。そしたら、俺の情報を買ってくれるってさ。ただし、機密情報は書けない、俺はそう言ってやったよ」

彼の中で、少しずつ何かが変化していた。

特ダネを狙って西に来た三井だったが、ここに長く滞在するうちに、安いスクープ記事ばかりでなく、世間を目覚めさせるような記事を、自分も書けそうな気がし始めていた。彼も若い頃には、人の心に残るものを書きたいと思っていたのだ。

なおも熱を込めて語るジャーナリストの話を、女医は目を細めながら聴いていた。

だが、食後のコーヒーは、三井にとってほろ苦いものになった。

ひとしきり彼の話を聞くと、河合は自分の話を切り出した。

「あのね、三井さん……」

「なんだい？」

「実は私、この島を出ていくことになったの」

「えっ、嘘だろう？　何かやらかしたのか？」

「まさか……。それに、嘘や冗談でもないの」

「じゃあ何？」

「私がワクチン後遺症の研究をしてきたことは、前に話したわよね」

「だから、それがどうしたんだ？」

苛立《いらだ》った様子の三井に向かって、河合は静かに話を続けた。

彼女は、かねて自らの出身大学に「ワクチン後遺症研究室」の設置を働きかけていた。当初は色よい返事がなかったが、最近、国や自治体が一斉に接種させたワクチンの弊害《へいがい》が一部で報道されるようになったことを受けて、大学当局も彼女の申請を検討し始めたのだという。

そして彼女は、ようやく設置が承認され、新設が決まった同大学の研究室の主任研究員として復職することが決まったため、近々島を去ることにしたのだ。

「で、それはいつだ？」

「島を出るのは明日よ。今まで黙っていてごめんなさい」

黙り込んだ三井に、河合は続けた。

「後任は、宗像さんが引き受けてくれたわ。あなたの《監視役》も彼女に交代よ」

それから彼女は、「あなたに最後の講義をさせてね」と、ウイルスに関する自分の見解を語り始めた。

「今から20年余り前、世界を覆った感染症のパンデミック騒ぎがあったわね」

「あ、ああ……」

「あの頃から、人類が今まで経験してこなかった地球規模の変化が始まったのよ」

「う〜ん、よくわからないな……」

三井は、河合がいなくなるという事実が受け入れがたく、何も考えずにあいまいな返事をした。

女医は、その力ない反応を見て、「もう少し噛み砕いて話そうか?」と言った。


「三井さんは、ウイルスって何だと思ってる?」

三井は、少しはかっこいいところを見せようと、せき払いしてから答えた。

「ウイルスは遺伝子同然の物質だが、自分では増殖できない。だから、他人様《ひと》の細胞に入って自分の遺伝情報を増やしやがる、厄介な連中だ。基本的に生物じゃないが、生物的特性は持っている。……で、えーと、それで何だろう?」

河合はクスッと笑うと続けた。

「そうね。まだウイルスの正体はしっかり理解されていない。だから、これまでワクチンというものでウイルス感染症を防ごうと、人類はしてきたわ」

「それでひどい目に遭っているがな」と、三井の目に憤りが浮かぶ。

その色を見逃さずに、河合は同意した。

「そうよね、きっとあなたも、そして私も……。でも聞いて。ウイルスというのはね、実は私たちの身体の中でできるものなのよ」

「何だって？」

「ウイルスって、生物が環境から甚大な影響を受けたときに、身を守るために吐き出す排泄物《はいせつぶつ》なのよ」

「そんな話、初めて聞くぞ！」と三井は、大げさに驚いて見せた。

「すでに2020年代には、そのメカニズムに気づいた研究者たちがいたの。でも、ネット上の情報が強圧的に削除されたために、彼らも発言の場を奪われたのよ」

「そうか……。たしかその昔、現職のアメリカ大統領までSNSのアカウントを削除されたことがあったっけ……」

「ええ……。それでも研究者たちは研究を進めた。そして、ウイルスが通常は体内で情報を伝え合う伝達システムの一部として、健康を維持するために働いていることを突き止めたの。実はね、それがエクソソームよ」

「おー、あれか？」

「普段、体内の情報伝達物質として働いているエクソソームは、いざDNAが破損して緊急事態に陥ると、壊れたDNAの断片やRNAの一部を体外に排泄して、体内のバランスを取っているの。その排泄物が、これまでウイルスと呼ばれてきたモノの正体なのよ」

ちょっと待てよ、と三井が口を挟んだ。

「すると、20年前のコロナなんかも、俺たちが吐き出したのか？」

「最初のきっかけは違うわね。でも、基本的には体内物質と同じもの。そして、世界中でほぼ同時にウイルスが蔓延したということは、やはり地球規模の大変化を示唆《しさ》していたのよ」

「その大変化って……どういうことなんだ？」

「簡単に言うと、地球規模の電気量の急激な変化」

「電気量……変化、電気？　雷が増えたのか？」

「ええ、順を追って説明するわね」

河合は、そこでひと息置くと自分のコーヒーカップを手に取り、あなたも飲みなさいよ、と三井に言った。


「三井さん、風邪はどうして流行《はや》るか、わかる？」

「わからん。どうせわからないんだから、早く教えろ」

「自分たちの起こす技術的な変化が、地球の環境に影響を及ぼす規模になると、人類はそれに適応しようとして風邪を発症するの。つまり……」

「つまり……？」

「地上の電気状態が人類の行為によって大きく変わる。すると、それがヒトの自律神経に影響して調整を迫り、ＤＮＡレベルで微少な変化が起きるの。その結果、多くの人々が風邪といわれる状態になり、体内から破損したＤＮＡやＲＮＡを吐き出すのよ。これが、風邪の流行の正体なの」

「うむ……、しかしその説明だと、電気がウイルスをまき散らす原因だということにならないかね？」

河合は、「そうね……。たしかに少しわかりにくいかもしれない」と言ったが、続けた。

「1918年に、世界的なスペイン風邪の大流行が起こったでしょ」

「ああ。たしか第1次世界大戦の終わり頃だったな。当時の世界人口18億のうち、4000万人以上が死亡し、大戦の戦死者1600万人をはるかに上回った」

「そう、引き金は戦争だったのよ。戦争で大量の爆弾が使われた結果、その爆発による電気が、膨大に大気中にばら撒かれたの」

「爆弾が電気を……？」

「戦場には、必ず後で雨が降るのよ。その雨は、自然が大気中にばら撒かれた電荷を地上に落として、大気の電気バランスを保つために降るの」

「すると……、戦争や軍拡競争が風邪を起こしているのか？」

「そう言うと正確じゃないわね。人間の自然への介入が、自然界の電気的なバランスを極端に乱したときに、生物の体内バランスが壊され、結果的に損傷して有害になったDNAの破片を吐き出すために風邪が流行るということね」

なるほど、とつぶやく三井に、河合はまとめを述べて講義を締めくくった。

「ウイルスの仲間は、普段はエクソソームという体内の情報伝達物質として働いています。でも緊急時には、細胞内のＤＮＡの破片を急激に体外へ排泄するカプセルに変化するのです。以上」

三井は、ご高説ありがとうと礼を言った。

「しかし、急な話だな……」

むろん、河合が島を出ていくことが、だ。

「間違った自然理解のまま人類が進んでいけば、まだ多くの難病が発生するわ。私は、この状態を放っておけないの」

「それが、島を出る理由か……」

「ええ」

「だが、研究が世間にすぐ受け入れられるわけはないだろうな」

「まぁね。でも、時間の問題だと思う。たとえて言えば、今は天動説の時代よ。必ずいつか、地動説が広まるわ」

三井は、頬をいくぶん紅潮させている河合の目を見た。それから、ついと目を逸らすとせき払いをして、

「まあ、俺は信じるよ」と言った。

9章

座標――それぞれの位置

思念入力

「三井さん、まだ起きないんですか?」

河合が島を去った日、三井は与えられた部屋に昼まで引きこもっていた。

――朝早くに出るから、見送りとかは要らないわよ。

河合自身にそう言われていた。

朝、アマネが見学先へ案内するために迎えに来たときには、

「頭が痛い。昨日飲み過ぎたのかもしれない。放っておいてくれ」と言ってベッドに潜り込んだ。

昼前に部屋を訪《たず》ねたアマネが声をかけたとき、三井は、《河合に借りたタブレット型端末》に向かって何かの原稿を打っていたが、その声ですぐにベッドに飛び込んで寝たふりを決め込んだ。

アマネは、返事がないので様子を見に部屋に入ってきた。

三井が寝ていることを確認すると、デスク上のタブレット型端末をのぞき込んだ。

そして、「そうね、寂しいですよね、三井さんも……」とつぶやいた。

すると即座に、ベッドカバーの下から、

「な……、何を言ってるんだ、君は～！」と反論が返ってきた。

アマネは、三井を起こさないようにと小声で独り言を言ったつもりだったが、かえって狸寝入りの「化けの皮」が剥げてしまった。

ジャーナリストは、開き直ってガバと跳ね起きると、

「俺は頭が痛いだけだ。どうして俺が寂しいだなんて言うんだ？」と尋ねた。

「だって、これ……」

アマネが指差したタブレット型端末を、三井は見た。

そこには、書きかけの原稿のテキスト文章だけが表示されているはず……だった。

だが、そこにはなぜか、河合医師の画像が、幾つも重なり合って描き出されていた。

「あ……！」

寝たふりのはずが、一気に目が覚めた。

「タブレットの使い方は、もう慣れましたか？」

ベッドの上の三井にアマネが尋ねると、

「ああ、だいたいはわかっているさ。それは、そのぉ……」

三井は、茹《ゆ》でダコのような顔で強弁した。

「ベッドに寝ていても入力できるか、今、実験してたんだ！」

この時代、多くの生活デバイスに音声入力が採用されている。島の端末も同様だ。だが島では、さらに《思念入力《しねんにゅうりょく》》回路が端末類に標準装備されていた。

河合に端末を調達してもらって初めて原稿を書いたとき、三井はその入力の快適さに驚いた。やけに音声入力がスムーズだと思った。

処理速度の速さは、超電導技術のたまものだとは聞いていた。

だが、それにしても……、このタブレット型端末は、彼が口にしている「言葉以上の内容」を、先行してすらすらと文章に直していくではないか。

「何なんだ、この入力システムは？」不思議に思って河合に尋ねると、

「音声入力にプラスして、最新の思念入力機能が付いているの。便利でしょ？」と教えてくれた。

この機能は、言うまでもなく《思念センサー》の応用だった。

興味を持った三井がいろいろ試していると、思念入力機能は文字のテキスト化だけでなく、

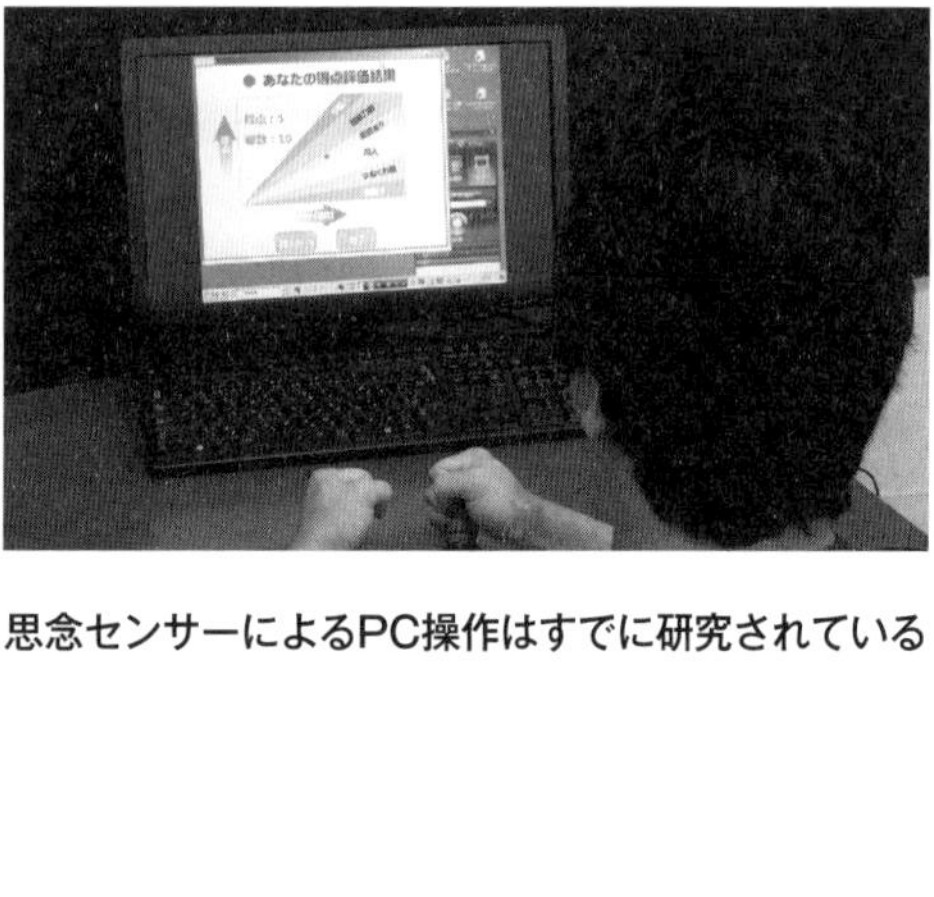
思念センサーによるPC操作はすでに研究されている

頭に描いた映像のイメージも、上手に集中できれば、接続されたサーバーを検索し、作成中の資料にも表示させてくれるのだった。

映像のイメージを消したいときは、モニターを見ながら「削除！」と心で強く命じればよい。

三井は、ベッドの上で「失敗」に気づき、舌打ちをした。

アマネの声でとっさに、思念入力がON《オン》のままベッドに飛び込んでしまったのだ。

「実験、大成功ですね！」とアマネに言われ、

「うん、ま、まあな……」

ごまかした三井に、若い女医は、首をかしげながら真顔で言った。

「でも三井さん、思念力が、強いんですね……」

「なぜわかるんだ？」と三井。

「思念入力って、映像は、よっぽど明瞭に思い描かないと、上手にできないんですよ」

「マジで？」と、三井は目を丸くした。

ディソナンス

前回中止された島の「緊急上昇システム」起動試験を明日に控えた那由多は、起動プロセスの再チェックを行っていた。

プロセスのブロック図をモニター上で追いながら、那由多は保安課で受けた尋問を思い出していた。

伊吹が三井を犯人だと叫んだ日、その後二人は保安課の別々の部屋で職質を受けた。

そのとき、那由多を担当した課員が、彼にある物を見せた。

「これに見覚えはありますか?」

それは、白い小さなぬいぐるみだった。

「あっはい。確か私が、訓練中に機内でなくした物だと思います」

「これはあなたの物ですか?」

那由多は正直に言った。

「いいえ、友人がお守り代わりに貸してくれたものです。機内遺失《いしつ》は自分の責任です」

このとき、隣で端末を確認していた別の課員が、尋問の担当者に目で合図をした。

「本日はもう結構です。何かあればまたこちらから連絡します」

担当者は那由多に退室を促した。

部屋を出た那由多は、伊吹の様子を窓口で尋ねた。

窓口の女性は、モニターを確認し、まだ時間がかかるらしいから先に帰るようにと那由多に言った。

那由多は、伊吹の職質がなぜ長くかかっているのか気になったが、起動プロセスをもう一度チェックしたかったので、言われたとおり先に帰ることにした。

アマネが三井と部屋で、思念入力を話題にしていた頃……。

那由多ら技術チームは、「緊急上昇システム」の起動準備に集中していた。

あの日、不測のトラブルで中核エネルギーシステムがダウンしてしまったため、起動試験は延期されていた。そして今、全システムの点検が終了し、準備は整った。

《重力周波数・共振回路》は、本番前の予備試験段階では地球重力場に問題なくシンクロしている。

今度こそ、起動試験は成功すると多くの関係者は期待していた。

起動試験の開始時刻が迫っていた。

——10分後に、中央エネルギープラントからの動力供給を『停止』します。

全島の住民に、あらかじめ告知されていた起動試験の開始が警報された。

「いよいよだな」

中央給電指令所に遅れて駆けつけた伊吹が、先に詰めていた那由多に声をかける。

「うむ。今度こそ、やってやる！」

重力場発生装置とは、いわば「重力を遮断《しゃだん》する壁」である。

その壁が、《重力周波数・共振回路》の信号、すなわち地球の重力波にシンクロすることで島の構造体を支える基底部全体が「共振重力場」を発生するのだ。

今や、Eアイランドの深層にある基底部には、施設全体を地上と切り離すための《重力場発生装置》が、前回の失敗を受けて広範に増設されていた。その地下に、中核発電施設から電源がダイレクトに引き込まれている。

那由多を囲む技術陣のモニターには、《重力場発生装置》が発生する波形と、《重力周波数・共振回路》の示す波形がそれぞれ表示されていた。

島の上昇を可能にする出力を実現するには、その二つの波形を「一致」させたまま「地球重力場」が無効になる「共振レベル」まで、増幅し続ければよいのだ。

同期自体は、プログラム上でＡＩが制御する。問題は、シンクロ状態を中央動力の電力に接続するときの電位変化で「同期」を乱さないことだった。

共振回路は、いまなお地球の重力場をしっかりとフォローしている。

「大和、共振回路よいか？」

司令の確認を受け、那由多は「ＯＫです」と答えた。

「よし、重力場発生装置へ電力接続！」

大電力が《重力場発生装置》に流れ込み、中央給電指令所の床が低いうなりを発し、その振動は全員が身体で感じられるほどになっていく。

成功か……と皆が思った。

ところが……。

《重力場発生装置》の共振レベルがそれ以上大きくなることはなく、共振波形は徐々に減衰《げんすい》し始めていた。モニターのサインカーブは、徐々に低くなっている。

床から聞こえていた低いうなりも、もうほとんど聞こえなくなっていた。

位置センサーは、島の位置が全く動いていないことを示していた。

「各部署に通達！　持ち場の状況を報告しろ！」

鋭い指示が、司令から発せられた。

「基底部Aブロック、異常ありません！」

「動力伝達Cブロック異常なし」

「AIメインブロック異常ありません」

「基底部Dブロック、こちらも異常ありません」

各ブロック担当者から続々と報告が上がっていた。

だが、各員の努力にもかかわらず、《重力場発生装置》の共振周波数は、地球重力波にピタリとシンクロすることはなかった。

「大和、原因を特定できるか？」

先輩エンジニアに訊かれたが、那由多にも心当たりはなかった。

「わかりません」

依然として、《重力場発生装置》は沈黙していた。

やがて司令が、試験失敗の「判断」を下した。

「重力場発生装置、停止。——島の電力供給を平常に戻せ」

那由多は、唇を噛んでいた。

予備試験段階では、共振回路側が地球の重力波にピタリと共振できていたにもかかわらず、電力を投入した途端、周波数がブレ始め、重力場発生装置内に、十分な共振が起きなかったのだ。

言葉を失っている那由多に、伊吹も声をかけようとはしなかった。

期待をしていただけに失望も大きかったのか、あるいは生来の皮肉癖か、

「ま、こんなもんだろ……」

伊吹は静かにつぶやくと、そのまま中央給電指令所を出て行った。

養殖場

さて三井は、体調が無事回復し、アマネの案内で最も興味のある施設の見学に行けることになった。

今日は遂に、「巨大魚」の養殖場に行けるのだ。

三井が記事を外部に発信しているため、アマネは、日々の見学後に、

「ここまでは書いていいです。これ以上はダメです」と、情報の交通整理を指導していた。

彼が、ここに来る前に狙っていた「巨大魚のスクープ」も、当初とはだいぶ違うトーンになりそうだ。

だが、それでいいと、今の三井は思っていた。

「あそこですよ！」

アマネとそれぞれ《一人乗り》の乗り物に乗り、長い距離を移動した。以前、河合と一緒に乗ったのと同じタイプの乗り物だ。これまでの滞在期間中、島での一番の遠出だった。

「おお、すごいね！」

その施設は、島の外周部にお椀《わん》を伏せるような形で設けられていた。

ドーム型の形状は野球場などを想起させるが、大きさもちょうど同じような感じだ。それが、いくつも並んでいた。

三井は携帯したタブレットで写真を撮りながら、どんどん前を進んでいくアマネの後に追いついて、それらのドームの1つに入っていった。


中は、農業施設と同じような透明の外壁に覆われ、足元には一面に人工の床が張られていた。いくつもの区画に仕切られた養殖槽があり、一部は、壁面が透明な構造材でできていて壁から中を見ることができた。

「ここの水槽は、何層にも重なったアクリル貼りの透明材で組まれています。防弾ガラス以上の強度があるので、滅多なことでは壊れません」

アマネは、まず設備の説明をすると、養殖されている魚の種類をいくつか挙げた。

「ブリやタイのような昔ながらの養殖魚はもちろん、ウナギなんかも商業ベースに乗るコストで育てられています。ハタハタのように、ここで初めて養殖に成功した魚も多いんですよ」

「ねえ、俺も少しは魚に詳しいから、勝手にいろいろ見せてもらっていいかな」

「はい、どうぞ。私は後をついていきますから」

入口付近の施設内マップに、養殖されている魚の「居所」が示されていた。

クロマグロ、ミナミマグロ……

トラフグ、カワハギ、ヒラマサ……

マダイ、クロダイ、チダイ……

イサキ、カンパチ、ブリ……

ヒラメ、スズキ、マサバ、マアジ、シマアジ……

エビ、カニや貝類も……

「アサリはどこかな?」

三井は振り向いて、若い女医に尋ねた。

「えっ、アサリですか?」

アマネは近づいてくると、マップの上を指でたどって
「別の建物ですね」と言った。

「アサリがどうかしたんですか?」と尋ねられ、三井は、

「あ……、好きなんだよねぇ。酒蒸しとか、吸い物なんかね」と笑った。

三井は明るく、楽しそうにふるまっていたが、自分でも努めてそうしている自分がいることがわかっていた。そんなふるまいの理由を、彼は自分なりに分析していた。

（ま……、娘とデートしていると思えば、こんな感じだろう）
一緒にいるのが河合だったら、こんなふうに「気を遣う」ことはなかったはずだ。
──河合なら、まず俺にアサリを見せて
「ほらね？」と言っただろう。

「三井さん！」

アマネに声をかけられて、「えっ？」と我に返った。

「水槽のほう、見ないんですか？」

「ああ、もちろん見るさぁ！」

水槽の中の魚の姿は、まるで「凹《おう》レンズ」で周囲を囲われているかのように、三井が知るそれらの大きさを逸脱していた。

「でかいなあ……」と三井は感嘆のつぶやきを漏らした。

それから、

「なあ、カツオを見せてくれないか？」とアマネに呼びかけた。

テロ容疑

──伊吹高が、保安課に拘束された！

那由多がそれを聞いたのは、訓練生の指導から戻ってきたときだった。

那由多は、新米訓練生とともに指導教官見習いとして、重力機に乗り込んでいた。基地に戻り、迎えに出てきた同期の仲間から聞かされたのが、「伊吹が捕まった」という報せだった。

「なぜだ？　理由は何だと言っていた？」

――破壊工作容疑だそうだ。

「破壊工作？　何かの間違いじゃないのか！」

伊吹は、那由多に続いて次の訓練生と宇宙に出る予定だった。その搭乗を待っているところを、訓練所に来た三人の保安員に引き立てられたとのことだった。

那由多は、すぐ伊吹に面会したいと指導教官に申し出たが、

「今はだめだ。島の上層部が面会を禁じている。今は無理だ。しばらく待て」と言われた。


伊吹への面会が許されたのは、1週間後だった。

「伊吹への聴取の結果、彼の行為は刑事案件に該当すると判断した。明日、彼は島から本土の警察に身柄を移送されることになった」

保安課への面会申請時に、責任者からそう説明された。

「あいつは、何をしたんですか？」

責任者は、それは言えないと断ったうえで、犯行が島の運営継続に極めて深刻な影響を含む

ため、対策が決定するまで事件は機密扱いになったと那由多にそっと教えてくれた。つまり、伊吹に会って何かを聞いても、それは決して他言できないということだ。

島の保安課には牢屋や懲罰房《ちょうばつぼう》はない。日本の一部でもある島は、日本の法律に従わなければならない。面会室のテーブルに向かって待っていた那由多の前に、保安員に伴われて伊吹が現れ、那由多を見ると少し乱暴にイスに座った。

那由多が黙って顔を見ると、伊吹は、

「久しぶりだな、那由多」と虚勢を張るように低く言った。

「おまえが来るとは……、正直、思っていなかった」

それが、第一声だった。

「おまえ、何をしたんだ？」

那由多の問いに、ふっと小さく笑うと、

「保安課に話したとおりさ」と伊吹は答えた。

「俺は何も聞かされていない。なぁ、俺にも話してくれ。俺たち訓練仲間だろ……」

「仲間？　……俺とおまえが友達だってか……？　ふっ、おまえに、話すことは何もないよ……」

首を振る同期生に、

「バカ野郎、貴様の親父が悲しむぞ！　お父さんの夢をかなえたかったんじゃないのか」

思わず那由多は、そう怒鳴っていた。

「親父か……」

頬をゆがめて応じた伊吹の両目から、不意に大粒の涙があふれ出た。

そして、いきなり立ち上がると那由多に向かって怒鳴り返した。

「俺は……、おまえが憎かったんだ！　おまえに言うことはそれしかない！」

ジャミング

面会室を出た那由多は、伊吹の言葉がショックだった。

宇宙で感じた威圧感、それがこれなのか？

島の上昇試験にも失敗し、伊吹の言葉で打ちのめされた那由多の腕のリストミッターが、いきなり鳴り始めた。

表示された名前を見て、那由多は驚いた。

「お、親父……」

そこには大和光二と表示されていた。

「は、はい。那由多です。あ、父さん……久しぶり。……えっいいけど。今から？　あ、いいけど、わかった。行くよ」

父は那由多に、久しぶりに会わないかと誘ってきた。しかも珍しく父の事務所で会おうと言った。仕事場を私用に使わない父にしては珍しいことだった。

那由多は、一人乗りの乗り物を貸出所で借り出すと、地上すれすれを滑《すべ》るように移動していく。彼は、伊吹との面会を思い出しながら、父の待つ技術部本部へと向かって行った。

あの日、三井が地下で見かけた「不審者」は、伊吹高その人だった。

那由多とともにＥＯＳから戻った直後、彼は「超電導構造体チップ」を組み込んだある周波数に共振する発信機を自作していた。その装置を、中核施設地下のサプライハンガーフロアの一角に仕掛け、《重力周波数・共振回路》が共振を始めたタイミングで装置が同期して、共振を邪魔する「ジャミング（電波妨害）」を行っていたのだ。

面会室で那由多は伊吹の向かいに座っていた。興奮がやみ、しばらくして話し出した伊吹は、那由多に、「俺は絶対、おまえより優秀だ」と言った。

「ああ、そうだよ」と那由多は、言った。

「だが、おまえに本当に悪意があったなら、どうして発信機をそのまま地下に放置しておかなかったんだ。回収する意味はなかっただろう」

伊吹は、少し考えてから

「意味……。あったさ……。……ダメ押しさ……」と言った。

「ダメ押し?」と那由多は聞き返した。

「ふっ、そうだろう。もし装置が見つかったら、おまえのせいでなく装置のせいになる。おまえに次のチャンスが巡ってくる……。冗談じゃない」

重力機を操る「宇宙飛行士訓練生」は必ず必須科目で重力制御の原理を履修する。その教科の中に、必ず常温超電導の応用回路の基礎がある。授業で実習する手のひらに載るような小さな実験装置でさえも、重力機の中に持ち込めば重力機の共振を乱すことがあるので、けっして機内に持ち込んではならないと指導されていた。

伊吹の足が付いたのは、保安課が不審な発振源の調査を地下から地上に広げたとき、偶然にも重力機の地下格納庫付近で微細な信号を発する不審物が出たからだ。

機体整備部門の備品庫に「遺失物」をまとめて置いてある棚があった。整備場では遺失物が多く、重要と思われない忘れ物は、まとめて遺失物棚に保管していた。

年に一度、遺失物を公表するが、誰も名乗り出ずお蔵入りする物が多かった。

そんな引き取り手のない物の中に、それはあった。

保安員が信号の発信源として特定したのは、汚れた小さなぬいぐるみだった。

工学が専門でない伊吹も、講座の授業で回路は理解していた。そこで、教材として支給された薄膜電池《はくまくでんち》（超伝導構造材）をポケットに隠し、小さなぬいぐるみに忍ばせて、ある日、実際にどうなるかを試したのだ。

ぬいぐるみで成功してしまった彼の心に、悪魔がさらに囁《ささや》いた。

徹底的に落としてやれと。

小さなぬいぐるみは、幼稚ないたずらだった。だが、ゆがんだ彼の自尊心の中で、やがて那由多の評価を落とす快感が、自身の虚栄心を満足させるゲームの目的になったのだ。

　那由多がいくら苦心しても、共振回路を地球重力場にシンクロさせられなかったのも当然だった。増幅回路を備えた大型のジャマー（電波妨害器）が、伊吹の宿舎の壁の中から発見された。増幅機能があるジャマーなら島の動力に使われる《重力周波数・共振回路》が発振する共振波に即応して、打ち消す「逆位相」の波を発振できる。

　だが、それは《重力周波数・共振回路》の、至近距離に置く必要があった。

　那由多の実機上昇試験を不成功に終わらせ、その目的を達した伊吹は、今度はサプライハンガーフロアに入り込み、同じ手口でジャマーを使って邪魔をした後、自ら回収したのだった。

　中核施設の地下から発する不審な信号を検知したオモイカネが、その信号の消失を航に報告したのが、そのタイミングだった。


　伊吹の目は、宙を見ていた。

「田口に毒を盛って、足を引っ張ったのも俺さ」と、伊吹は言い始めた。

「なぜだ。……なぜ、俺ではなく、田口だった？」

「俺から見れば、あいつはおまえよりもスキがあった……」

「それは、おまえが話しやすいということか？」

「それもある……」

　ＥＯＳに向かう前日、伊吹は偶然を装って田口に近づき、喫茶室に誘った。

そして、田口がリストミッターに連絡を受けて席を立つように仕向け、その間に、飲み物の中に一滴の有機薬剤（殺虫剤の一種）を滴下《てきか》したのだった。

田口が、激しい胃の収斂《しゅうれん》と消化管内壁からの出血で苦しみだしたのは、その直後だ。

保安課は、田口のカップから出た極微《ごく》量の薬剤反応に着目し、事故ではなく事件の可能性も考慮して継続して島内で調査を続けていた。

そして、保安課での三井への「暴行未遂」で伊吹と那由多を拘束した際の思念スキャンの結果から、伊吹への本格的な監視を始めていたのだった。

「だが那由多。結局、今、宇宙にいるＭＳ（ミッションスペシャリスト）は、田口だ。俺は、結局、負けたのさ……」

最後に自嘲しながらそう言うと、さて、と伊吹は席を立った。

「もう二度と会うこともないだろう。じゃあな……友達……」

振り返らずに出て行く伊吹の背中に、那由多は「バカ野郎」と心の中で叫んでいた。


那由多は、光二の前にいた。

「会ったのか」父の言葉に、

「はい、今別れてきました」

那由多はワケのわからぬ感情に支配されていた。

「お父さん……」

「ま、座れ」

「教えてください。なぜ彼は、あんなことを」

背中を向け、コーヒーを淹《い》れていた大和光二は、向き直ると、

「まあ座れ」と再度促し、「珈琲《コーヒー》はいつものでいいな?」とカップを差し出した。

おそらく父親は、すべてを知っていて、息子をここへ呼んだのだ。

「おまえには理解できないだろうな……」

那由多の向かいのソファに、父は腰を下ろした。

「島育ちのおまえと、本土で生きてきた彼とでは決定的な違いがある」

何のことかわからない那由多に、光二は、

「おまえは嫉妬《しっと》とか、妬みという感情が理解できないだろう」

「知識としては知っています。ただ、どんな感情かまでは……」

父親はふっと笑うと、

「この島の設立理念は、〝利他〟だ。他人の幸福のために自分は存在すると幼い頃から教育される。おまえは島生まれではないが、物心ついてからほとんどの教育はここで受けている」

「はい、兄も、アマネもそうです」

「それが彼との違いなんだよ」

大気圏——

数日後——。

那由多の操縦する宇宙機に、三井茂と、彼の案内役としてのアマネの姿があった。

「3段階に分けて上昇し、カーマンラインと呼ばれる宇宙との境界まで行きます」

那由多の説明に、

「え、宇宙に行けるんじゃなかったん？」

わざとらしく三井が口を挟んだが、那由多はそれを無視して、

「一瞬で宇宙に移動しますから、驚かないでください」と言った。

「では、行きますよ」那由多がそう言ってパネルに触った直後、

「おー！」三井が感嘆のうなり声を上げた。アマネも目を丸くしている。

彼らを乗せた重力機の窓外は、すでにもはや〝宇宙空間〟だった。そして、眼下に見晴《みは》るかす地表には、地球儀や地図で見慣れた日本列島の姿が半分以上一望にできた。

「本当に上昇Gがなかったな」と、念のため宇宙服を着込んだ三井が感心する。宇宙服を着てはいるが、彼らにヘルメットは必要なかった。

アマネも宇宙服の中から「地上のエレベーターより快適ね」と那由多に言った。

「ここが、さっきまでいた地表から50キロ上の成層圏界面《せいそうけんかいめん》です」と那由多。

宇宙空間と地球の大気圏に、厳密な境界はない。地上100キロのカーマンラインは「その先が宇宙空間である」と便宜的に人類が定めたラインだ。

また、いわゆる大気圏も通常、地上100キロ付近までを指すが、科学的には、地上500キロを超える外気圏も地球の大気層の一部である。

「大気圏には、地表に近いほうから対流圏《たいりゅうけん》、成層圏、中間圏《ちゅうかんけん》、熱圏《ねっけん》という区分があります。この区分は外気温の変化を目安にしたもので、境目は目に見えません」

「外気温？　……すると、この機体の外にも空気があるのか？」

「はい、厳密には大気が。でも密度が薄いから呼吸はできませんよ」

那由多はそう答えた後、

「我々は今、成層圏の上まで来ていますが、通常、飛行機が飛んでいるのが、この成層圏の最下層、地上10キロ超といった辺りになります」

「なるほど、ここは航空航路の4～5倍の高さなのか」

三井の言葉にうなずくと、那由多は、

「もう紫外線を吸収するオゾン層のはるか上なので、日焼けにご注意ください」

とアマネのほうを見て言った。

彼女は「まあ大変」と応じ、頬を手のひらでかばってみせた。

「次は、地上80キロの中間圏界面に上昇します」

そう那由多が言った直後、さらに地表は遠くなり、眼下に列島が横たわった。

「北のほうに雲が見えるわ」とアマネ。

「嘘だろう？　え、ホントだ！」と三井。

「夜光雲《やこううん》です。中間圏にできる雲で、地表から最も遠い雲。それから…」

那由多が説明する前に、

「おい、流れ星だ！」と三井が叫んだ。

「ああ、きれい……」とアマネも目で追う。

「ここまで上がると、地表からは見えない流星もよく見えるようになります」

那由多は、アマネに流星が見せられたことを喜んだ。

「では、次は地上100キロ超、カーマンラインの少し上まで行きます」

「お、いよいよ宇宙空間だな」

三井は思わずはしゃぎ、アマネの視線に気づいて
「まあ、ここも十分、宇宙だけどな」とゴニョゴニョ言った。

地上100キロは、熱圏の下層に当たる。

そこまで上がると、列島周囲の島々や周辺国も視野に入った。

熱圏の名は、イオン化した大気が放射線や紫外線で熱せられて高温になるところから来ている。最下層では氷点下だが、上層では1000度から2000度にもなる。

説明を聞いた三井が、

「そんなに熱くては宇宙活動も大変だろうな」と言ったので、

「いえ、空気が薄いので体感的な熱さはないんです」と補足した。

（オーロラが見えなかったのは、ちょっと残念……）と、那由多は思った。

宇宙と想い――

そこに重力機の「座標」を定めて落ち着いた後、那由多は、あらためて三井に詫《わ》びを言った。もっと早くそうすべきだと思っていた。

「あのときは、疑ってすみませんでした」

「ん？　あのときって保安課でのことか？　いやいや、俺は仕事柄、嫌われることに慣れてるから」

那由多は、「元・容疑者」の三井に、差し障りのない範囲で伊吹の行状について簡単に伝えた。

「そうだったのか。君たち…というか、君とあの伊吹ってヤツは、仲がいいのかと思っていたよ」

「うーん……」と考え込む那由多に、

「違うのか？」とジャーナリストは質問をかぶせる。

那由多は「わかりません」と静かに言うと、答えの角度を変えた。

「実は、宇宙空間に出ると、ヒトの感覚が異常に拡大するというか、地上にいるときより想いが伝わりやすくなるようです」

「そうなの？」と興味を示すアマネ。微かに頬を染めている。

「うん。一緒にＥＯＳに行ったとき、僕は彼から何度となく《圧迫感》を感じていた」

「それは、どういう宇宙現象なんだ？」と三井。

「先輩の飛行士から、宇宙では《敵意》が圧迫感として伝わると聞きました」

「敵意……」とアマネが眉をひそめる。

「うん、もっと優しい言い方をすれば、ライバルへの対抗心かな。それで、先輩たちは気を回して、それとなく伊吹に諭したり、彼の気を逸らしたりしてくれました」

「なるほど」と三井が相槌《あいづち》を打つ。

「あの頃までは……」と那由多は間を置き、

「ＥＯＳにいた間は、僕にも彼への警戒心がありました。でも、島に戻ってからは、ヤツがいい意味で変わったと感じていたんです」

「だまされたわけだな……」と三井。

「いえ、わかりません。実は今でも、宇宙から戻った伊吹の内面に、よい変化があったはずだと、僕は信じているんです」

「まあ、それが正しいかどうかは、アイツをまた宇宙に連れて来ないことには、わからんだろうなぁ」

三井はそう言って、伊吹の話を切り上げた。

「そうですね」と那由多。

一方、アマネは、

「三井さんたら、もう何回も宇宙へ来ているみたいな言い方…」と笑った。


それからしばし、めいめいが無言で窓外を眺めるうちに、

——君の活躍と、幸せを願う……。

アマネは、那由多の声を聴いた気がした。

そこで思い立って、彼に向かって言った。

「ねえ、那由多……、私、国際ボランティアに応募しようと思う」

「ん、どうして？　急に地上の見え方が変わった？」

「そうかなぁ……？　うん、そうかもね」

那由多は、コントロールパネルから目を上げて彼女の顔を見つめていた。

彼が話の続きに耳を傾けていることを感じて、アマネはまた口を開いた。

「もともと漠然《ばくぜん》と考えていたことなの。世界には、十分な医療の行き渡っていない地域がまだたくさんある。できるなら、そうした国の子供たちを救いたいなって…」

「僕は、どっちにしても君を応援するよ」

「うん。おかげさまで今、はっきりと決心がついたわ」

「なあ、君たちはホントに仲がいいんだなぁ」

三井に口を挟まれ、アマネはふくれながら「余計なお世話です」と応じた。

それでいて、三井の言葉に温かい人柄がこもっていることも感じていた。

「河合女史だけじゃなく、アマネ君にまで島を出て行かれたら、困っちゃうなぁ……」

ふざけてシナを作るジャーナリストに向き直ると、

「あなたが出て行くのは、私よりも先ですよ！」

地上100キロで、女医は「元・患者」に宣告した。

10章　飛翔――Eアイランド上昇作戦

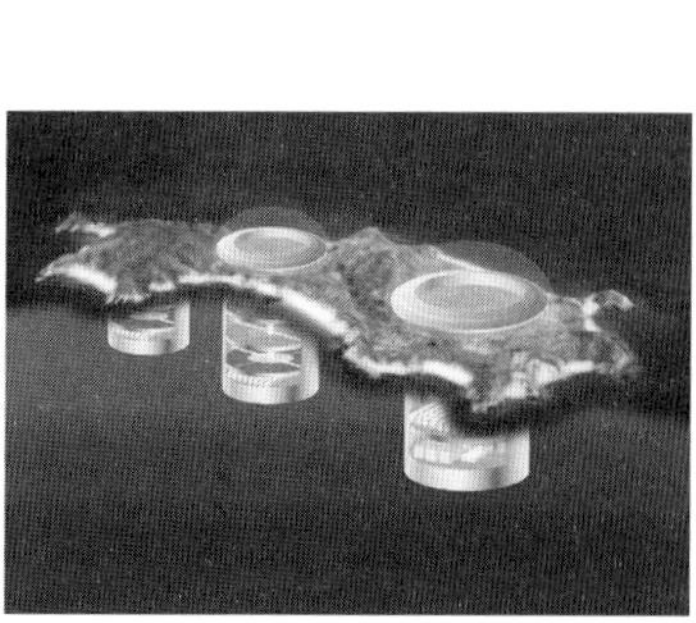

支持者――

Eアイランドでの「見学と取材」をひととおり終えたと感じた三井茂は、重力機での「宇宙旅行」を経験して以降は、比較的のんびりと島での滞在を楽しんでいた。

あらためて関心を持った施設や技術については、アマネを通じて申請し、見学が許可されれば取材を続けている。

アマネもすでに三井の案内（監視）役からは解放され、本来の診療に当たりながら、彼の「相談窓口」になっていた。

島の客分として、自由に過ごす毎日は気楽だった。

しかし、もう自分は救難者ではない。この島の医療費に頼り続けるのは気が引けた。

そこで彼は、滞在費を支払いたいと申し出たが、この島では「Eコイン」という独自のデジタル通貨が使われており、三井には払うことができなかった。

アマネから、「いっそ島の住民になる申請をしてはどうです？」とも言われたが、「そう言ってくれるのは嬉しいが、あいにく束縛されるのは苦手でね」と断っていた。

ここ数日、三井は、取材・執筆以外の時間を、河合に案内されたレストランで別メニューにチャレンジしたり、彼女と歩いた場所を散策したりして過ごしていた。

いずれ、「頃合い」を見て島を出ることを決めていた。

この滞在を通して、彼の身の上にも変化が起こっていた。

島に漂着するまでの彼は、ジャーナリストを名乗ってはいたものの、事実上、耳目《じもく》を惹きそうなネタを探しては中途半端な原稿料で食いつなぐ「売文屋《ばいぶんや》」で、無名の「ゴシップライター」に過ぎなかった。

ところが、島の中から未来技術の断片を発信するようになってから、科学ジャーナリストとしての三井の名前が、世間にも少しずつ知られるようになっていた。

それどころか、一定の支持層まで獲得した。三井のＳＮＳにコメントやリプライをしてくる「ファン」には、将来を担う若い世代が意外に多かった。

アマネも、今ではジャーナリスト三井の「支持者」の一人なのかもしれない。

アマネは会うたびに、彼の文章を話題にした。

「あのレポートの切り口、おもしろかったですよ。同じ技術を取り上げるにしても、三井さんが書くような周辺事情の中で解説されるとわかりやすいんですよね」

「そうかぁ……」などとうそぶきながら、娘に褒められたようで悪い気はしなかった。

三井はある日、彼女に本音を語ったことがある。

「この島について、《書いていけないこと》は、俺自身およそわかったつもりだ。君の指導のおかげもあってね。でも、いずれ時が来たら《書くべきこと》もスゴクたくさんあるはずだ。それをいつか世に問うのが、俺の本当の使命だと思うのさ」


ブン屋——。

かなり昔のことになるが、新聞記者がこうした一種の蔑称《べっしょう》で呼ばれていたことがある。この場合は売文屋ではなく「新聞屋」の略であるが、報道関係者が社会的に軽く見られていたことは確かである。

記者やアナウンサーが高級な職業のように見られだしたのは、いつ頃からだろう。三井はそれを、マスコミが一種の「世論操作機関」としての地位を確立してからではないかと、漠然と思っていた。

今でこそ「連中」の社会的信用もすっかり失墜はしているが、いずれにしてもろくな者たちではない。

——俺はブン屋でいいんだ。

三井は、そう思っていた。

フェイクニュース・キング

「三井先生！　もう島を出て行くんですか？」

突然、那由多が部屋を訪ねてきたのは、三井が出発に備えて少ない荷物をまとめているときだった。

アマネに聞いたのだろう。彼女に那由多へ「宇宙旅行のお礼を伝えてくれ」と三井は頼んでいた。

「おいおい、訓練中じゃないのか。それに、いくらなんでも、この俺に《先生》はないだろう」

「でも、作家を呼ぶときは普通、そう言うんじゃないんですか？」

「いやいや、俺は作家じゃない。《フェイクニュース・キング》だ」

三井は笑いながら、那由多に椅子を勧めた。


数日前から、島の上空に報道機関の有人ドローンが飛来していた。

――潮時だな……。

彼の発信する情報は、一定の支持層やファンに拡散され、そろそろメインストリームメディアでも少しは取り上げられるようになっていた。

もちろん、その紹介のされ方は「陰謀論者」扱いで、寄せられるコメントも三井の言説に否定的なものが大半だった。

——本当にそんな技術が存在するならば、なぜ現実に採用されていないのか不思議です。

——国際社会が推進している「ＳＤＧｓ」に対する稚拙な反論でしょう。

マスメディアの論客は、そうしたお気楽な見解を発信し続けている。そもそも時代の勢力が、未来技術を正当に評価した試しなどない。

上空にドローンが現れた日、三井は心配してアマネに尋ねた。

「俺の書いた記事のせいで、余計な連中が探りに来てしまったようだ。島にエライ迷惑をかけているんだろうな?」

だが、アマネの答えは意外なものだった。

「いえ、マスコミがやって来ることは上の方々の想定の内ですよ」

「どういうこと?」

「この島は、電磁障壁が覆っていますから空から撮影しても、ピンボケの映像しか写せません」

「ああ、なるほど……」

「それに、電磁障壁があるから、空から下手に物も落とせませんしね」

アマネは、上に向けて人差し指を立てた。もちろん、上空をうるさく飛び回っているドローンを指してのことだった。

——島の上空には、落下物検出用に高電圧の電磁波が飛んでいる領域がありますので、安全のため無許可で航空機は接近しないでください。

島の公式ホームページにそう書いてある。

有人ドローンは通常、Eアイランドが張る電磁障壁よりもかなり上（高度500メートル程度）を飛んでいるが、万が一、強行着陸などを試《こころ》みられると「彼らにとっても危険」なので、必ず広報してあるのだという。

さらに、島の上空から撮った映像は、三井を「嘘つき」にしたかった連中にとっても、わけがわからない残念な結果になっていた。

彼らが撮影した映像はなぜかすべて不鮮明で、三井のレポートに書かれていた養殖場も、農業施設も、航空宇宙ポートも、あるかないかさえも判別できなかったからだ。

――フェイクニュース・キング！

それが、彼ら主要メディアによって与えられた三井茂の「称号」だった。


三井が保安員の同伴で島を出るとき、那由多とアマネも港へ見送りにきてくれた。

「ありがとう。二人には、世話になった！」

保安課の連絡ボートに乗り込むと、片手を力強く挙げて別れを告げた。

「楽しかったですよ、三井先生！」と那由多。

アマネは、島を離れるボートに「お元気で！」と手を振った。

「二人とも頑張れよー！」と三井は手を振り返していた。

その晩、三井はフェイクニュース・キングの署名付きで、SNSに投稿した。

――訳あって、島を出てきました。次はどこに行こうかなあ……。これからも、さらに自由に情報を発信していきますよ。乞《こ》うご期待！

市井の大学病院の診療室に、その投稿をフォローしている一人の医師がいた。

そして、かたわらの患者に微笑みながら、

「この人かしら？」と訊いた。

うなずく患者に、「誠実そうな……文章ね……」と彼女は微笑して言った。

セキュリティ責任者

この頃、日本の周辺諸国でも地震が頻発するようになっていた。

大国が使い続けた気象兵器などの影響で、自然サイクルを乱し各地に異常な豪雨や例年にない熱帯性低気圧が頻発していた。

地震兵器による破壊の衝撃は、無秩序な使用で地殻にダメージを蓄積しており、すでに危険なレベルに達していることを、財団や島の関係者は熟知していた。もはや人工地震を起こされなかったとしても、地殻の傷を自然が戻そうとするために、さらに地震が起こる原因になっていた。財団は、その先にさらに来る地球規模の大異変の兆候を、すでに予測し始めていた。

事態は逼迫《ひっぱく》していた。

自然災害の予知技術は、すでに存在している。

台風はもちろん、一般に予知は困難とされてきた地震も、宇宙空間から地上の変化を観測すれば、数日前から震源地とその規模がおおよそ推定できるのだ。

その技術は20年以上前（２０２０年代）にすでに宇宙観測の技術者たちに知られており、もし各国の関係官庁が本気で採用すれば、被害を最小に抑えるため事前に準備できるはずだった。財団やEアイランドは、政治に関与はしない。だが、自然科学的な技術協力に関しては、各界にも広く門戸を開いていた。

その内容には、もちろん地震予知技術や、重力制御の基礎技術も含まれている。だが、財団が提供したい技術がどんなに有用であっても、それが大国の軍事機密などに抵触する可能性がある場合、「彼ら」はあえて無関心を装い、けっして国や研究機関からの照会には至らなかった。

稀に変わり者の研究者や学生などから、財団が発表した論文に質問が舞い込むことはあったが、気象予知に関する分野は、特に「アウトロー」の扱いだった。

財団の上層部が、島に漂着した三井に取材を許したのは、島で彼が見た生活や技術常識を、いずれ「外」へ発信するだろうことが、最初からわかっていたからだ。

優れた技術は、時に軍事に真っ先に使われるが、その存在を知らなければ平和に使うことすらできない。ほんの一部でもかまわない。三井が発信する情報に興味を持った人々の中には、未来への扉を開けようとする人もいるかもしれない。三井が見たことの重要性を理解して、自ら追い求める者が出るだろう……と、彼らは考えたのだ。

島の上層部の中に、大和光二もいた。

光二は、現場からの叩き上げだった。30代で外部の人間として地下農場の建設に参加した後、通信セキュリティ技術の専門家として財団に関わった彼は、やがてEアイランド建造計画に自ら合流し、島の施設の構築に「Ｅアイランド」の初期段階から携わっていた。

新技術の研究開発を目的とする組織において、必須なのが「セキュリティ」専門家である。機密防衛には兵士や警備員ではなく、通信と情報工学の専門家、さらには優秀なプログラマーが必要だった。

現在50代後半に入った光二は、情報技術を含む全エンジニアリング部門の責任者として、サイバーテロなどの危機があるたび、敏腕ぶりを発揮してみせていた。

そして彼は、今では島の「副所長」を兼務する立場にあった。

２カ月前、副所長「大和光二」のもとに、宇宙ステーションＥＯＳの船長から非公式に「警戒」レベルの情報が届いていた。確認中……とあるその情報によれば……。

原因は依然不明だが、広範囲の地殻変動の兆候が連続して観測されているという。

端緒《たんしょ》は、南太平洋中央部の海底50キロ付近で起こったマグニチュード９クラスの海底地震だった。震源地近辺の海域では、深部海水温が摂氏《せっし》30度を超える高温を示していた。この地震では幸い周辺国に大きな影響は出ていないが、震源から西３００キロの海底でも、同様の地殻変動の兆候が続いて確認されているというのが、ＥＯＳの報告だった。

宇宙からの観測は、地域や国に限定しない広範な観測を可能にする。そのため国の事情や政情によらず全体的な変動予測が可能だった。

もしまた同程度の海底地震が起こった場合、今度は陸地にも近いことから、最大10メートル程度の津波が周辺の国々の沿岸地域に押し寄せる可能性が高い。

EOSの予測をもとに、大和光二は、太平洋島嶼《とうしょこく》国に海底地震の危機が迫っていることを各国政府に通知させた。

だが、その努力はすべて黙殺された。日本にも、Eアイランドと関わりのある国会議員は大勢いたが、政府内部の事情からか、太平洋諸国への警告が審議されることすらなかった。

そして、次の海底地震は、EOSの予測どおり発生した。

我が国ではニュースにもならなかったが、洋上の小国群に津波が押し寄せ、沿岸部では多くの死傷者が出ていた。しかも、この地殻変動には、さらに先がある。

EOSはあらかじめそれを予測し、光二に伝えてきていた。

それは、次の震源地が「Eアイランドの南300キロの海底」と予想されることだった。

大規模地震の発生予想時期は、今から……3カ月以内――。

大和光二は決断を余儀なくされていた。

彼は、緊急対策シミュレーションを実行した。

緊急時を想定し、彼が40代の部門長時代に島の緊急事態対策用に自ら書き上げた「シミュレーションプログラム」だった。彼は、仕事部屋に入ると第三者の入室を固く禁じた。

この翌日、大和光二は、「島の緊急退避システム」起動試験の前倒しを、内々に島の幹部に進言し始めていた。そして、島に漂着した三井というジャーナリストを、島の外部への情報発信者として活用することも、また彼の発案によるものだった。

危機迫る！　地殻変動のワナ

その三井が島から出て行ったと報告を受けた数日後――。

午前10時、大和光二は、島の幹部が顔を揃える「最高幹部会議」に向かった。

この日の早朝、大和光二へ、ＥＯＳからの緊急通信が入ったからだ。彼は島の幹部に召集をかけた。会議の席で自ら交信を行い、内容を全員に聴かせるためだ。会場に入るとすでに準備が完了していた。通信を壁の大モニターにつなぐため、通信員が大和光二の指示を待っていた。

「始めてくれ」

すぐに通信員にＥＯＳとつなぐよう指示した。

大モニターにＥＯＳの内部映像が映し出された。

モニターの相手は、若き元訓練生の田口隼だった。緊急事態で多忙を極めるステーション要員は、ＭＳの補助要員である彼に、初仕事として今回の地上への一報を託したのだ。

「田口君か。ご苦労だね！」

彼には珍しく緊張を隠せない田口をねぎらうように光二が挨拶した。

――ありがとうございます。副所長。……では報告させていただきます。

……0620、大規模な地殻変動が新たに観測されました。EOSでの解析では、およそ300時間以内にマグニチュード9以上の地震をEアイランド近海300キロの海底で発生させると思われる初期の地殻上昇です。

この地殻変動は今後も継続して起きると予想され、海底で何らかの地球規模の地下活動が継続していると考えられます。EOSの総力を挙げて原因を解析中ですが、地球の電界変動のデータを過去50年間に拡大し、関連のある地下活動を調査した結果、深部海水温の継続した上昇などから、2009年のトンガ沖の海底火山、小笠原諸島の西之島の火山噴火、さらには2030年の南海トラフ地震との関連が疑われます。

（ずいぶん早まったな……）と大和光二は、思っていた。

「そうか。引き続き観測を続けてくれ」

――はい！

光二は、交信を通信員に引き継ぐと幹部たちに向き直った。

「諸君。聞いてのとおりだ。外のニュースでも知ってのとおり、近年は世界各地で海底地震が頻発している。EOSの観測データは、責任者として私も報告を受けていたが、今回は、このEアイランドに被害が及ぶ可能性が極めて高いことがわかった。計算では沿岸部に20メートル近い津波が予想される。さらに近海の震源からの当施設への影響は、地上および地下の基幹部分を損壊する可能性が予想される。そこで、私は緊急事態条項第2条を適用し、緊急動議を提出したい！」

光二は居並ぶ幹部に、緊急事態を宣言した。逼迫する事態の重大さは幹部たちにもよくわかったが、異議を唱える者もいた。

大和光二は、通信員に指示を出した。幹部らの前の大モニターに、Eアイランドの外形を示す線図と、周辺の海の流れを示す矢印がベクトル図として表示された。

「諸君、これは緊急対策シミュレーションだ。まずこれを見てほしい」

光二は所長に同意を得ると、シミュレーションプログラムを起動した。

画面左上に本土の一部が表示されていた。中央のEアイランドの下方から、さまざまな色のベクトル線が徐々に一本の線状に集まりだし、その線が幾重にも集まったかと思うと、Eアイランドを一斉に取り囲み、次の瞬間Eアイランドの周囲すべてを取り囲んだのち、ベクトル線が急速に後退した。ベクトル線の集合は、津波の動きを表していた。そして、ベクトル線が一斉に後退した後のモニター上には、津波が押し寄せる前とは全く形が変わったEアイランドの外形が表示されていた。

幹部たちは我が目を疑った。

目の前に表示されているEアイランドは、現在の形状を全く留めてはいなかったからだ。

「このシミュレーションは、すでに100回以上の試行結果だ。被害の程度に差はあるだろうが、不可避の事態が差し迫っている事実からだけは目を背けないでほしい」

このとき所長が口を挟んだ。

「皆さん、大和君から諸君らに通達するに当たり私も彼と協議した。しかし、今回の予測は何度計算しても、15年前の南海トラフ以上の災害と計算された。どうか大和君を助け、島の存続を図ってほしい」

幹部らの気持ちがこの一言でようやく一つにまとまった。

「大和さん。やりましょう。我々の手で島を護りましょう」

「みんな感謝する」大和は一同を見渡した。

緊急動議は全員一致で採択された。所長は対策委員長に、大和光二を推薦《すいせん》した。

この席上で大和光二副所長は、緊急事態対策委員長を兼務し次のように発令した。

「島の存続に資するため、動議に基づき、緊急退避システム起動を進言する」

一同に一瞬どよめきが起こったが、光二は続けた。

「諸君も知ってのとおり、我々は新システムの起動に失敗している。だが我々の技術班は、すでに解析の結果、起動条件を特定している。安定起動のためには共振回路の二重化とゲイン（利得）増加の追加工事が必要だ。EOSに確認したところによると、現在、島の重力波共振回路の同型を搬出可能な段階にあり、40時間以内に島へ移設できるそうだ。

よって、72時間以内に島側の工事を完了し、第1回起動テストを、「4日後の正午」に実行する！　諸君は端末に配信した指示書に従って各部署に至急通達願いたい。以上だ」

光二は、最初のEOS船長の報告から、危機を想定し本プランを準備していた。

最後の言葉を聞くや否や、幹部らは担当部門へ散っていった。


給電指令所にいた那由多にも、緊急退避（緊急上昇）システム起動の決定が伝えられた。

そして、光二がじきじきにモニターで那由多に指示を伝えた。

「大和飛行士、貴君に中央動力室への異動を命ずる。島の動力部の副指揮官に任命する」

いつも見る父の顔だったが、そこには全く私情を感じなかった。

「は、はい。大和那由多、動力部、副指揮官を拝命します……。で、よろしいですか」

「現在、貴君の同期飛行士はEOSで解析を継続中だ。そこで君に地上指揮官を任せたい……」

「わかりました。副所長、大和那由多……命令に服します……」

そう言って敬礼する那由多に対し、モニターの父が微かに笑った。

つられて笑顔になりかけた那由多の前で、すぐ無表情になった副所長は続けた。

「《重力周波数・共振回路》の安定化を、成功させねばならない」

那由多にも、次回は継続時間を延ばす自信はあった。だが、南海トラフ地震の2030年当時と今とでは、島の設備規模がまるで違っていた。

「大和、島を無事に上昇させることが君の任務だ」

言われなくてもわかっていた。でも……。

（……もし、俺がミスったら……）

島は、15年前の南海トラフ地震のときとは比べ物にならない大惨事になるだろう。

那由多の不安を見越してか、父はこう付け加えた。

「退避システムの緊急起動は確かに無謀かもしれない。だが、座して待てば、予想される未曾《みぞ》有《う》の災害が、本島の活動を危うくするだろう。おまえはどっちを取る気か。おまえは、おまえのやるべきことをやれ！　責任は、私が取る！」

「はい……。やるしかないですね」

目を大きく見開き、那由多は父に応えた。

「ほかに訊きたいことはあるか？」という光二に、

「ありません」と応えかけ、思い立ってこう加えた。

「父さ……、いえ副所長、医療部の宗像医師を、彼女をお借りしてもいいですか？」

父は、「ん、アマネか？」と一瞬、眉をひそめた後、

「その担当は医療部だ。私でなく医療部に許可を取れ！」と父、光二は交信を切った。

那由多は苦笑いすると、早速、医療部に渡りをつけてアマネに連絡した。

「やあ、忙しいところゴメンね。手が空いたらすぐ中央動力室に来てくれないか」

――動力部へ行くように指示は受けたけど、いったいどうしたの？

リストミッター先の女医に、那由多は、せき払いをして依頼した。

「宗像医師に、動力部副指揮官の任務遂行を補佐してほしい。万一のとき、中央動力室のス

タッフに負傷者が出たら、島全体の存亡に関わるからね」

距離——

その頃、大和航は島の外にいた。

学会発表が間近なため、本土の自宅に戻ることにしたのだ。

ただ、自宅で学会発表の準備をしながらも、島外へ逃がしたカツオの追跡だけは、パートナーのオモイカネに続けさせていた。

オモイカネは、Ｅアイランドにリンクした回線で大ガツオの発する矩形《くけい》パルスを追っていた。ヒューマノイドの彼にとってそのタスクは「遊び」のようなものだった。

——『あなたのカツオ』は、現在、三陸沖に到達しました。

——いま彼は沿岸を離れ、南に向きを変えたようです。『もう秋ですねえ』

オモイカネは、都度つど航に報告し、余計なコメントも追加していた。

航が、あの日、島の地下から共振を乱す発振があることを、父「大和光二」に連絡したことは既述のとおりだ。

その発振が、今は無いためか、

「最近、電波の追従《ついじゅう》がやりやすくなりました」とオモイカネも言っていた。

「それはよかったな」

魷は、オモイカネの軽口をあまり気にしていなかった。

だが、ある日、オモイカネが「島の回線上で、信号の検波《けんぱ》が正確になりました」と言い出したとき、「なぜそうなるんだ?」と訊き返した。

オモイカネは、「カツオが高知県沖にいたときと比べ、北上につれて信号が明瞭化しています。北部からは、島近海のノイズが無く検出しやすいと考えられます」と分析した。

「なるほどね……」


そんな中、彼らのもとに「大地震発生警告」の報が那由多から届いた。弟は、島を緊急退避させる際の上昇システムの副指揮官を任されたということだった。

モニターの向こうの弟に魷が言った。

「今度こそ、うまく行くといいな」

「ああ、ベストを尽くすよ。兄貴は、地震が来たら絶対、家に留《い》てくれよ」

続いてアマネが、「魷、気をつけてね」と那由多の隣から声をかけた。

「アマネも一緒にいるんだな。君も無理をするなよ」

そして兄は、「那由多、アマネを必ず守れよ」と弟に命じた。

那由多は、心配性の兄に苦笑いをしながら、

「言わなくたってわかってる。だから、ここにいるんじゃない」と応じた。

そのとき……、

ゴーッと、彼らの耳に鳴動が聞こえ、微かな揺れを感じた。

「地鳴りだな……。もう来たのか？」

島の二人を案じて航は言った。

「いえ、まだみたいよ」とアマネ。

「本震の発生が確認されたら、EOSが我々に知らせてくる」と那由多。

航は、震源地から地震波が島へ到達するまでの時間をオモイカネに計算させた。

ヒューマノイドは、震源と予想される南の海底から島までの距離を確認し、

「先行するP波の到達は発生後150～200秒。主要動のS波到達までは、300秒です」

と回答した。

「300秒……5分か、間に合うか、那由多？」

兄の問いに、弟は「大丈夫。ただし、それは最悪のケースだね」と答えた。

「実はすでにEOSから届いたバックアップ回路基板を組み込んで《重力波・共振回路》は起動しているんだ。地球重力波周波数との合致レベルを、あと少しでAIが算出する。それが済めば、シンクロさせて本稼働をかける。そうすればいつ上昇指令が出てもOKさ」

「そうか……。じゃあ、もう準備ができているんだな。だが、完全なシンクロは、まだできていないって聞いているが……？」

そこへ、再び微小な前震が起こった。

「兄さん、すまない、いったん切るよ。指令が入った。じゃあね……」

「ああ、頑張れよ」敝は通信を切った。

緊急対策室の大和光二から動力部指揮官に指令が来た。

「AIが算出したシンクロデータをそちらへ転送した。確認して至急シミュレーションを実行してほしい」

前室で指揮を執る動力部指揮官は、山口主任技術者だった。

「副所長、動力部了解しました。実行します」

那由多は後部の部屋で転送データを確認し、すぐに重力波共振回路の起動プログラムに、送られた「シンクロパラメータ」を追加し、仮想試験を実行した。

手慣れた行動だった。シミュレーション結果はすぐに出た。

「山口指揮官、結果出ました。良好です。重力波周波数との一致確率〝99・8%〟、依存パラメータの改善率200%です」

「行けそうか、大和」

「いつでも行けます」

その直後、いよいよ大和光二が――決定を下した。EOSが海底火山の噴火を「最高幹部会議室」の光二に報告したのだ。

島の上昇に備える「緊急避難態勢」が、発令された。

大和光二は眼前のモニターを凝視していた。

画面の下方の震源が見る間に暖色に変化していく。

「来るな」そうつぶやいたその直後。

海底火山が大噴火した。そのとき300キロも離れたEアイランドが一瞬大きく揺れた。

「おいでなすった」

那由多はそう言って二つの画面に向き直った。

この二つの画面上の波形が常に一致している必要があった。

「大和、指令を待て」指揮官から指示が飛んだ。

「了解」那由多の指が起動スイッチの上に乗った。

觥は、すでに沈黙した交信機に向かって念じていた。

『那由多、頑張れよ……』

緊急上昇――

全島が緊急避難態勢に入った。

上昇時の事故に備えて、全員が防護服を着用し、ヘルメットを着用した。子供は防護服の上から救命胴衣も着込んでいた。

中核施設では、座席に着いている者はシートベルトを締め、立って作業に当たる者は近くの手すりなどに命綱のアンカーを連結した。

これらは「万一の備え」というより、これから起こる事態への備えだった。

中央動力室の那由多は、指揮官との連携の下、最高幹部会議室と中央給電指令所、さらにEOSのMS（ミッションスペシャリスト）チームとも回線を開き、不測の事態に備えていた。その頭の中では、上昇時に起こりうる複数のトラブルパターンを目まぐるしく想起し、臨機即応のイメージトレーニングを繰り返していた。

すでに右手で重力場機関の起動スイッチの「安全装置」を外し、もう一方の手は緊急停止スイッチの上に掛けていた。父の号令一下、いつでも島を動かせる姿勢を取っていた。

アマネもヘルメットを着け、クリスチャンの彼女らしい所作で、静かに島の無事を祈っていた。そのとき、祈りに集中していたアマネのリストミッターが鳴った。舭からだった。

「アマネです。どうしたの、舭？」

――那由多は？

「今、緊急上昇の準備に集中しているわ」

――そうか……。アマネ、那由多に伝えてくれ。EOSを使うんだ！

「えっ、どういうこと？」

――オモイカネの分析が出た！　この地殻変動の状態で巨大な島を急上昇させると、周囲の乱れた重力場の中では、すぐに共振が維持できなくなる。このままでは島が危険だ。那由多に直接話す。アマネ、あいつのそばまで行けるか？

「わかったわ！」

ついに、最高司令会議室から動力室へ「緊急上昇」が命じられた。

——Ｅアイランド、上昇せよ！

「了解、Ｅアイランド、上昇します！」指揮官が呼応し、那由多に伝えた。

「起動します」那由多が起動スイッチに力を込めたそのとき、アマネが席を立つのが目に入り、那由多は思わず、

「危ないぞ。座ってろ！」と怒鳴りつけた。

スイッチにかけた手を、とっさに止め、

「起動再開します！」と前室の指揮官に連絡をした。

大きなプレッシャーが、さすがに彼を苛立たせていた。

「那由多、舦があなたに……」

だがアマネは席に戻らず、那由多のそばへ急いでやってきた。

「バカ、今それどころじゃ……後にしてくれ」

前室の指揮官が那由多を見ていた。

「那由多、舦の話を聞いて！」

「下がってろ、アマネ」

那由多は、起動スイッチのボタンを押した。低音の鈍い音が部屋全体を振動させた。

「起動成功！」

その那由多の一声に、前室の指揮官が親指を上げた。

最高幹部会議室でも歓声が上がっていた。

床が震えた。総重量6億7500万トンの島が、いま大きく震えていた。

「基底部、分離します」

モニターを見ながら那由多が指揮官に報告した。

アマネは那由多の席にしがみ着くような姿勢で後ろから見つめていた。

「那由多……」

「もっとしっかりつかまれ！」


左右に大きく島が揺れた。いま、基底部が島の構造から分離した。

移動を示すモニター画面を見て、那由多は興奮していた。

『よし、行けるぞ』

モニター画面の数値が、いま、結合部から離れ上昇を示していた。

「分離成功、現在位置、結合起点より上位へ移動……」

「そのまま共振を維持、これより目標地点、海抜3000メートルまで上昇する」

前室の指揮官がインカムを通じて那由多に指令した。

「了解しました。急上昇、ＯＫです」

アマネのリストミッターの向こうで魷も、黙ってその様子を聞いていた。

「よし、急上昇開始しろ」

最高幹部会議室の指示が飛んだ。

「急上昇開始します」山口指揮官が呼応した。

「急上昇開始準備、シンクロ率98%、行きます…」

那由多は、利得《ゲイン》キーを150%に設定し、重力場発生装置の動力を接続した。蜂《はち》が飛ぶような音が全館に響いた。人工重力場が発振した音だった。

幹部と指揮所のモニターが、周囲の景色を映していた。

島が、基部から接続部を切り離した。

「よし！」と那由多が思った瞬間、島は急に傾くと停止した。さらに空気が抜けた風船のようにゆっくりと元の位置へ戻ってしまった。皆が身体で異変を感じていた。

重力場発生装置が地殻変動による重力場の揺れに追従できず、共振が乱れ始めたのだ。緊急事態だった。

連携――

このままでは島は地震の直撃を受ける。その前に、まもなく津波が襲ってくる。

地震による津波は20メートル級と推定されるが、その前に海底噴火が引き起こした津波も、高さ10メートル近い大津波だ。最高幹部会議室のモニターには、水平線が黒くせり上がりこちらへ向かってくる様子が映っていた。

大和光二は、ＥＯＳを呼び出した。

「こちら大和、ＥＯＳ、こちらの共振信号は捉えられるか」

「はい。クリアに捉えています。地上では熱膨張による重力の変動がありますね」

ＥＯＳ船長が光二に言った。

「船長、至急、共振周波数をこちらの動力へ渡してくれ」

「可能ですが、保証はできません。それでもよろしいですか」

依然、重力場機関は沈黙していた。幹部の間で不安が拡がっていた。島の住人たちは何もできず、ただ無事に生き残れることを祈っていた。

山口指揮官は那由多に向かって、

「大和！　現状報告。島を上昇させるんだ」

「わかりました」

だが島の上昇は始まらなかった。

那由多のかたわらにアマネが立っていた。

「那由多、聞いて、鯱よ」

那由多の耳に鯱の声が聞こえた。

――島の動力を制御する方法があるんだ！

「何だって……？　どうすればいい、兄さん！　待って。指揮官、調整します。時間をください」

「急げ、大和……時間がない」

指揮官に「はい」と応えると、那由多は航に呼びかけた。

「教えてくれ、どうすればいい？」

――EOSだ！　EOSから共振周波数を島の動力へ接続させろ！

「EOS？　理由は！」

――地上の地殻変動が、島の共振回路を乱している。だから宇宙からやるんだ！

これで那由多は理解した。

「わかったよ、兄さん。やってみる」

――頼む、那由多、島を救ってくれ。

航はそう言うと、通信を切った。

「アマネ、ありがとう。やってみるよ」ほかに道はなかった。すぐに指揮官へ報告した。

「山口指揮官、EOSへの回線接続、許可願います」

「大和、なぜだ」

「EOSからこちらの機関を起動させます。許可願います」

指揮官は合意した。

「EOS聞こえますか？　こちら動力室の大和那由多、聞こえますか」

すぐにEOSから声が届いた。

「こちらEOS、那由多か」その声は田口だった。

「田口さん、頼みがある。至急、こっちの動力へ共振周波数を送ってくれ、時間がない」

一瞬、田口が笑った。

「田口さん、笑ってる場合じゃない。時間がないんだ。共振周波数を送信してくれ」

田口は同期生にやさしく言った。

「もう送っているよ」

「えっ?」

「早く、チャンネル開け！　次はおまえの番だぞ」

聞くが早いか、那由多は受信チャンネルをＥＯＳに合わせ、受信中の周波数を確認した。

あった！

「田口さん、受信を確認した……これより、そちらに同期させる」

「ＥＯＳ、了解した、幸運を祈る」

島の中がどよめいていた。

水平線の黒い影が、壁のように迫ってきていた。

離陸――

ＥＯＳから、島のシグナルに呼応した重力場周波数が届いている。

「重力場、シンクロ回復しました！」

那由多は指揮官に報告した。機関から出ていた異常な振動がやんでいた。

「重力場発生装置、再起動します」

蜂が飛ぶような音がし始め、司令所内が細かく振動を始めていた。

誰もが初めてこのとき力強さを感じていた。島ほどの大きさだと地球の重力場から起動時は完全に独立せず、慣性を受ける。つまり重力場領域が完全には自律せず、いくばくかは地球の重力に引っ張られているからだ。しかし、今はそれが幸いした。

島の住人の誰もが、身体で上昇を知れるからだ。歓声があちこちから聞こえていた。

まだ上昇はしていないが、会議室の中の幹部らも、初めて安堵の声を漏らしていた。

島が沸き返ったそのとき、ＥＯＳが「警報」を送ってきた。

――地震波発生、Ｓ波の到達まで、あと、３００秒……２９０秒……２８０…

「何？　早すぎる……」

大和光二の目に、緊張が走った。

「間に合うのか？」

「大和、急げ！」山口指揮官が叫んでいた。

那由多は、すでに島を制御し始めていた。

だが、重力場機関の起動が遅い……。

（重い……。くそー、小型重力機ならもうとっくに月まで着く頃だ……）

那由多は「大丈夫、大丈夫！」と小声で唱え続けていた。

まだ遠くに見えていた火山津波の壁も、すでに間近に迫っていた。

そこに先行のP波が到達し、地上に接続したままの島の基部が揺れ始めた。

人々の中から、悲鳴が聞こえた……。

だが次の瞬間、地下の巨大な重力場機関が、昇竜の吠えるようなうなりを上げた。

島の人々を、地震の揺れとは異なる、衝撃が襲った。

「これは……？」

「ジャークだ！」と動力室のエンジニアが拳を握って叫んだ。

ジャークとは、重力に逆らって上昇を始める瞬間に生じるショックのことだ。日常、エレベーターが動き出すときなどに体感できる。

「やったな！」

やがて、彼らは軽いGも感じなくなり、周囲の景色が下へ移動し始めたことで、島の上昇を感じていた。

島の下で海が音を立ててぶつかっていた。第2のS波が、到達した。

島の住人から大歓声が上がっていた。


そのとき、激甚な地震が地上を襲っていた。觥が壁にへばり付き、よろめきながら窓外の光景を見つめていた。

「成功したな……」

ＳＣＭからも、いくつかの企業が施設を上空に逃がしていた。

その先の海上の上空に、我がEアイランドが浮かんでいた。

その大きさは、他の企業のビル群を圧倒していた。

第２波の去ったＳＣＭの丘に、多くの避難民が登っていた。

その背後で、海に残したEアイランドの基底部とＳＣＭ側の放った電磁障壁が、押し寄せる海水の進入を「モーゼの奇跡」のように湾外へと押し返していた。

鯱の脳裏を、子供のときに見た「空中都市」の記憶がよぎり、災害の真っただ中にいるというのに、どこか懐かしい想いにさせていた。

そのとき、足元からの声が、鯱を我に返らせた。

――すみません、起こしてください。

地震の揺れでバランスを崩し、転倒したままのヒューマノイドが、主の助けを求めて、宙に手を泳がせていた。

「しばらくそのままでいろよ」

若き学者はそう言うと、また窓外の光景に目を細めた。

――そんなこと言わないで、起こしてください。

地上を離れたEアイランドは、微速ながら上昇を続け、徐々に速度を増し上空３０００メートル付近でようやく停止した。

それは、島の技術陣がプログラムしたとおりの動きだった。

停止した島の上で、めいめいが思い思いの動きを始めた。

その中で、那由多は制御盤を離れるわけに行かなかったが、その代わり、仲間や多くのスタッフが、次々と周りに集まっては、賛辞や祝福を彼に送っていた。

アマネは、離れたところからその様子を見ていたが、最後に彼に近づいて
「お疲れさま」と声をかけた。

那由多は「うん、疲れたぁ……」と正直に言った。

そして、アマネには
「みんな、もうダメかと思っただろうな……」と本音を漏らした。

アマネは、「そうね……」と言いながら彼の肩に触れ、

「でも、私は信じていたわ」と青い空に視線を向けた。

「やっぱり信じてくれてたか……」

那由多が「ふうっ……」と安堵の息を吐き、同じ空に視線を向けると、

「ふふ、私は、神様を信じていたの」

アマネは、実の姉のような目で満面の笑みを彼に向けた。

(さっき無視されたお返しよ……)

澄んだ瞳が、那由多にそう言っていた。

終章

扉——無限社会への道程

Ｅアイランドの空中退避は、ＳＣＭの丘陵上から多くの人々に目撃された。

そのとき、空中に静止する島の姿を目に焼き付けた「関係者」は、鯱だけではなかった。

その一人は三井茂である。

彼は、少し前にジャーナリストとしての仕事を辞めていた。

最近、マスゴミや特定の方々からの誹謗《ひぼう》中傷が激しくなってきました。

この図太いフェイクニュース・キングも、さすがにもう、ほとほと嫌気が差しました。

なので、この辺で筆を納めて、のんびりと過ごしたいなあ、なんてね。

考えた末に、思い出の場所がよく見える丘で、喫茶店のマスターをやることにしました。

まあ、マスターってよりはオヤジだな。

この華麗なる（?）転身の理由には、実は、昔世話になったある居酒屋のオヤジさんへのリスペクトがあります。

もし縁あって、お会いできる機会があったら、今度は対面で未来の夢を語りましょうや。

では、短い間でしたが、どうもありがとうございました。

感謝を込めて

彼は、Eアイランドを出てからの言論活動で、既存メディアが持ち上げる学者や偏向ジャーナリストに、真っ向から論戦を挑んでいった。

だが、孤軍奮闘を強いられることが多く、表面上は常に旗色が悪かった。

さらに困ったのは、本来の生業であるメディアからの記事注文が、ほとんど来なくなってしまったことだ。

主要メディアをほとんど「敵」に回したのだから、当然と言えば当然だった。だが、それよりも三井を意気消沈させたのは、数少なかった「友人」たちにまで距離を置かれるようになったことだ。

そんな中、彼の意気をくじく決定的な出来事も起こった。

ある著名ジャーナリストから挑発され、むきになって反論をした際だった。

三井は、それまで決して触れてこなかった島の「機密情報」の一部に、うっかり言及してしまったのだ。完全に、頭に血が上っていた。

彼は、謝罪をして記事を削除し、その論戦を収めることにした。

その結果、「フェイクニュース・キング、実はキングではなくルーザーだった」とさんざん書き立てられたが、それでやる気をなくしたわけではなかった。

――このまま続ければ、必ずいつか「島の機密」を「俺」は漏らす！

そう反省し、熟考したうえで、潔《いさぎよ》く転身を決意したのだった。

三井の喫茶店は、丘の上に広がるSCMの全景を、上から見下ろせる高台にあり、沖に浮かぶEアイランドがよく見える絶好の場所にあった。

ここまで登ってくる客たちは、ある意味「物好き」だが、それがよかった。

店の名前は「FNK」――。

一見《いちげん》のお客が圧倒的に多いが、その多くが、口コミでやってくる。

来てくれる客すじは、ジャーナリスト時代の三井の読者や、その後に彼の噂を聞いて関心を持った「志向」の近い人たちで占められていた。

ほかにも、Eアイランドの見学に来た家族連れや、修学旅行でSCMにやって来た地方の学生たちが、「記念に来てみました」と寄ってくれた。

彼らは、店主の三井と話をしたがり、三井も気軽に会話に加わった。コーヒーをお代わりして、話し込んでいく客が多かった。

澄んだ空気の中で、美味いコーヒーをすすりながら、ポリコレや言論封殺と無縁の自由闊達《かったつ》な夢談義……。

彼の喫茶店は、さながら、アングラジャーナリスト「フェイクニュース・キング」の主宰するオフ会の場のようだった。


カウンターの若い男が三井に話しかけていた。よく見るいつもの光景だった。

「ねぇマスター。どうして記者を辞めちゃって、喫茶店をやってんの？」

見たところ、まだ20歳前後だろうか？　初めて見る、学生風の若者だった。

後ろ向きで洗った器を拭いていた三井は、手を止めると、彼のいるカウンターへやって来た。

自分の若い頃に似て生意気そうなヤツだと、少し嬉しくなる。

「聞きたいか、お若いの……」

「ああ聞きたい。教えて！」

三井はカウンターの前に仁王立ちになると、昔の話を始めた。

「あれは２０２１年6月だった。俺は札幌にいたんだ。当時はコロナウイルス騒ぎでな、札幌にも《緊急事態宣言》が出ていた。わかるか、コロナ？」

問われて若者は首をかしげた。四半世紀も前の、生まれる前のことだ。

無理もないと三井は、学生にコロナが風邪のウイルスの一種に過ぎなかったことを説明した。

当時も政府の話はウソくさく、マスクの着用やワクチン接種といった胡散《うさん》臭いことを勧められ、自分は「冗談じゃない！」と反発していたことを語った。

「ねえマスター、話、回りくどくね？　マスターがフェイクニュース・キングだったことは、よく知ってるよ」

「うるせぇ、黙って聞け～」

「は～い」

「どこまで話した？　そう……緊急事態宣言だよ。俺はな、札幌で、酒を飲んで夕飯を喰おうとしていたんだ。ところが緊急事態宣言で、酒を出す店という店が、市に自粛を強要され、街は閑散としていたんだよ。いいか、あの《すすきの》でだぜ」

「自粛の強要……って、言葉が矛盾してねぇ？」

「だろ？　だがそうだったんだ。それでもな、やってたんだよ、いい店が！」

「どんな店？」

「忘れもしない『だんちゃん』って居酒屋だ。懐かしいなぁ……、キップのいいオヤジが迎えてくれたぜ」

「でも酒は、やっぱり飲めなかったんだろ」

「あの時は、8時過ぎまで営業してると、見回りの連中に絡まれるってご時世だ。だがそういうとき、やっと飯にありついた俺に、オヤジは言ってくれたよ。『よそじゃ食えないホッケフライ食べてって』ってさ。旨《うま》かったなぁ……」

「ねえ、だからさ……、なんでこの店始めたのかを教えてよ」

「なんだよ、今話してるじゃねえか……。わかんねぇの？　おまえ、頭悪いだろ」

若者相手に、ズケズケと悪態をつくのも三井流だ。

「ああいうオヤジに憧れたんだよ！　あんな店をやりたいと思ってさ。俺が魚に詳しいのも、あのホッケがきっかけよ。もうあれから24年か。また逢いてぇなぁ、おやっさん……」

「ふーん……」と相槌を打ってはいるが、相手はまだ人情の機微がわかるような歳ではない。わかったような顔でうなずく若者に苦笑いすると、三井は皿洗いに戻った。

流しに向かうと、あらためて《すすきの》のオヤジを思い出し、「また行くぜぇ、オヤジさん！」とつぶやいた。


地震のあった当日――。

三井はなぜかEアイランドのことが気になり、ＳＣＭの丘の上に登って、眼下の湾を眺めていた。地震に遭遇して腰を抜かしたのが、空き家になっていた現在の『ＦＮＫ』の前だった。

そこに、あの「奇跡」が起こった。

久しぶりに体感する大地震にショックを受けながらも、空に昇っていく「島」の威容を見て感激し、我知らず快哉《かいさい》を叫んでいた。

人目をはばからず、「いいぞぉ！」「ありがとう！」と島に向かって叫び続けた彼の頬を、気づかぬうちに涙が濡らしていた。

ジャーナリストを辞めた三井は、迷わずそこにあった貸店舗を借り受けて、喫茶店を始めたのだった。

そして今日、一人の常連客がやってきて、彼に思いがけないプレゼントをもたらした。

その常連客は、別の街から週末だけやってくる、医学部の教授先生である。

この週末も、三井は、ついその客の来店をどこか心待ちにしていたのだ。

洗ったカップを拭く手にも精が出る——。

そこへ、扉の鈴を鳴らして、その客が入ってきた。

「こんにちは、三井さん！　相変わらず好き放題にやってる？」

河合恭子であった。

女優のような華やかさに、先客たちが（誰？）といった目配せをする。

三井はいつも、少し得意な気分で河合を迎えるのだ。

「ああ、いらっしゃい。もちろん相変わらずさ……」

いつものように軽口を叩こうとした三井は、次の瞬間、目をしばだたいて絶句した。

河合が、連れを伴っていたからだ。

「あ……、紹介するわね。こちら、私の患者さんの……」

女医が素知らぬ顔で一緒の席に座らせたのは、なんと三井の娘だった。

無言で照れ臭そうに笑っていて、申し合わせてきた様子がうかがえた。河合を信頼しているのだろう。

「いらっしゃい。なんというか……、久しぶりだな」

最近には珍しく、緊張の一日になりそうだった。

２０４５年、その年限りのほんの短期間、「フェイクニュース・キング」の名を欲しいままにし、彗星《すいせい》のように消えたジャーナリスト……三井茂。
彼が公のメディアに最後に寄稿した記事は、こう締めくくられている。

人類には、常に……「二つのドア」が用意されている。
自然を食いつくす「有限世界」へのドアと、
自然に恩をかえす「無限世界」へのドアである。
そのどちらの扉を開けるのか――。
今、私たちはその選択を迫られている。

【著者紹介】

清水 美裕 SHIMIZU YOSHIHIRO

1958年生まれ。慶應義塾大学通信課程法学部法律学科、日本電子工学院電子工学科卒。日本のフリーエネルギー技術開発の草分けの一人。株式会社トッパンムーアオペレーションズ、日本アイ・ビー・エム株式会社、私学塾フレンド学院、株式会社アマダ特許部を経て、2000年にエクボ株式会社を設立。手指への近赤外線等による自律神経調整装置「暖ぽ〜る」、DNA光回復酵素活性化蛍光光源「nano400」などを開発し、物質の周波数ごとの共振現象技術を追求してきた。現在、次世代イノベーションの中核技術である超電導構造の研究開発に注力し、ヒロコ財団、エクボ財団を通じて会員企業の事業化をサポートしている。

本書についての
ご意見・ご感想はコチラ

未来科学 Eアイランド ——無限循環エネルギー時代への「扉」——

2021年9月22日　第1刷発行

著　者　　清水美裕

発行人　　久保田貴幸

発行元　　株式会社 幻冬舎メディアコンサルティング
〒151-0051　東京都渋谷区千駄ヶ谷4-9-7
電話　03-5411-6440（編集）

発売元　　株式会社 幻冬舎
〒151-0051　東京都渋谷区千駄ヶ谷4-9-7
電話　03-5411-6222（営業）

印刷・製本　瞬報社写真印刷株式会社
装　丁　　株式会社 幻冬舎デザインプロ

検印廃止

ISBN 978-4-344-93439-9 C0054
幻冬舎メディアコンサルティングＨＰ
http://www.gentosha-mc.com/